D0269728

*Het boek van Beer*

ISBN 90 269 9855 4
NUR 283

www.unieboek.nl
www.francineoomen.nl


Unieboek BV, Postbus 97, 3990 DB Houten
Tekst en illustraties: Francine Oomen
Boekverzorging: steef liefting

*Francine Oomen*

# *Het boek van Beer*

Van Holkema & Warendorf

# Inhoud


HOOFDSTUK 1 — LEUK — 7

HOOFDSTUK 2 — SNOEP — 12

HOOFDSTUK 3 — HELP — 15

HOOFDSTUK 4 — NEE — 19

HOOFDSTUK 5 — SAM — 22

HOOFDSTUK 6 — RUGZAK — 26

HOOFDSTUK 7 — RAAK — 30

HOOFDSTUK 8 — DOEN! — 34

HOOFDSTUK 9 — ISABEL — 38

HOOFDSTUK 10 — SOAP — 43

HOOFDSTUK 11 — SCHAT — 48

HOOFDSTUK 12 — PRET — 52

HOOFDSTUK 13 — BIG — 58

HOOFDSTUK 14 — RUM — 62

HOOFDSTUK 15 — BOEK — 66

HOOFDSTUK 16 — REAL BITCH — 70

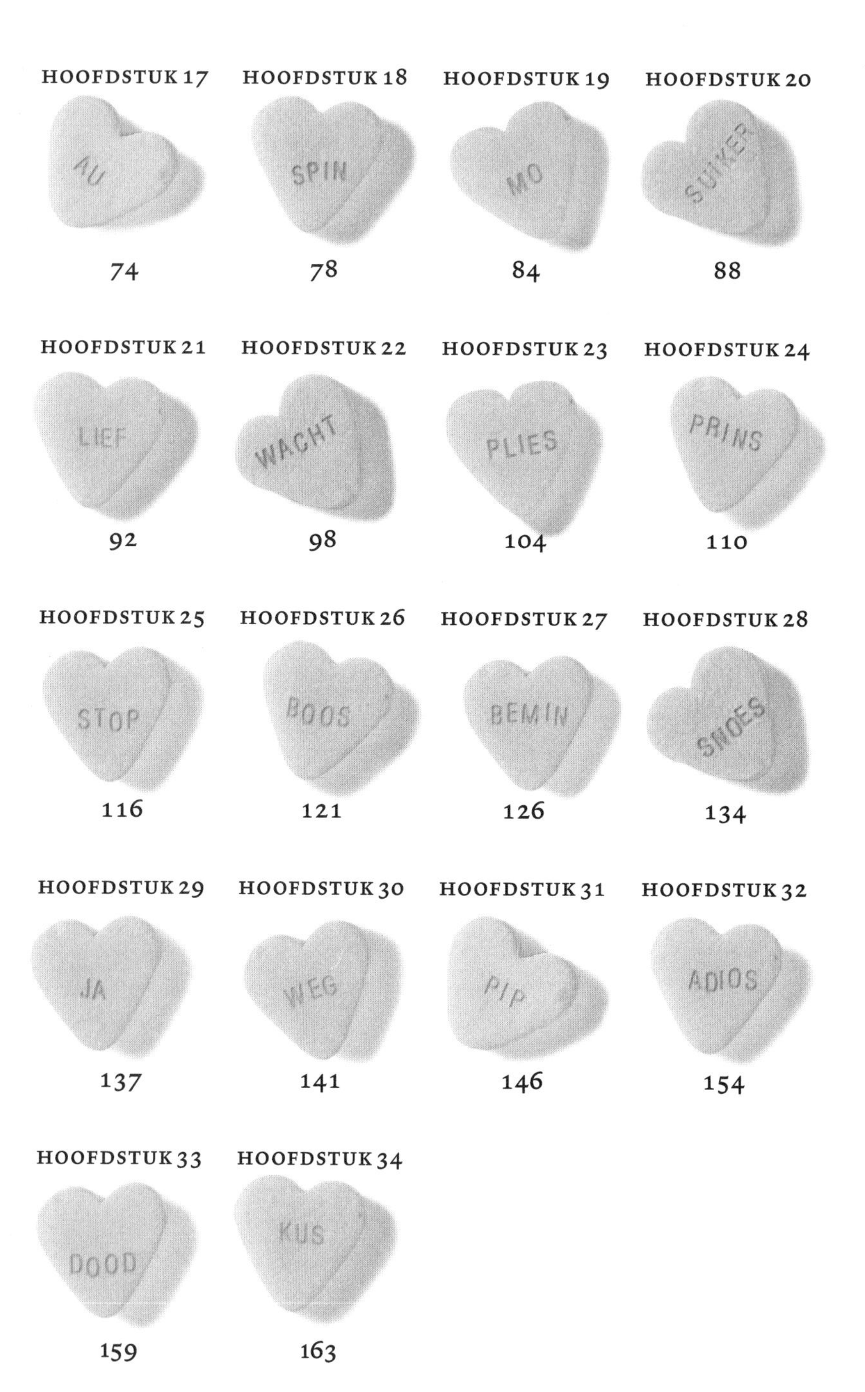


HOOFDSTUK 17 74
HOOFDSTUK 18 78
HOOFDSTUK 19 84
HOOFDSTUK 20 88
HOOFDSTUK 21 92
HOOFDSTUK 22 98
HOOFDSTUK 23 104
HOOFDSTUK 24 110
HOOFDSTUK 25 116
HOOFDSTUK 26 121
HOOFDSTUK 27 126
HOOFDSTUK 28 134
HOOFDSTUK 29 137
HOOFDSTUK 30 141
HOOFDSTUK 31 146
HOOFDSTUK 32 154
HOOFDSTUK 33 159
HOOFDSTUK 34 163

# HOOFDSTUK 1

Ik heb honger. Ik heb altijd honger. Zelfs al heb ik me helemaal volgegeten, dan is er nog steeds dat lege, holle gevoel in mijn maag. En ik ben al te dik. Veel te dik, en lelijk ook. Maar dat kan me niets schelen. Het houdt mensen op een afstand, en dat is wel handig.

Ik heb geen vrienden, behalve mijn broer en mijn zus. Maar kun je je broer en je zus je vrienden noemen? Ik denk het niet. Voor vrienden moet je je best doen, om ze te krijgen en ze te houden. Voor je broer en zus niet. Je kunt er zo veel ruzie mee maken als je wilt, ze lopen toch niet weg. We zijn niet alleen broer en zus, maar ook nog eens een drieling. Ik vind dat heel gewoon, ik weet niet beter. Andere mensen maken er altijd een hoop ophef over. Maar dat doen ze over alles wat niet 'normaal' is.

Gelukkig zitten we niet samen in één klas. Pip is in groep acht blijven zitten. Ik zit in de tweede van het gym. Sam zit in twee havo en Pip zit nu in de brugklas van het vmbo, maar ik ben bang dat zelfs dat nog te moeilijk voor hem is. Ik vraag vaak of ik hem kan helpen, maar dat wil hij niet meer.

Ik maak me best zorgen over hem. Hij was altijd al anders dan de anderen, maar hij doet de laatste tijd echt vreemd. Sam maakt zich ook zorgen om hem, en om mij. En om papa, om Isabel en de hele wereld. Ik krijg het daar soms knap benauwd van. Ze bedoelt het goed, hoor, maar ze denkt dat ze overal

verantwoordelijk voor is. Ze speelt altijd de baas en doet net alsof ze onze moeder is. Want die hebben we niet.
Over papa hoeft ze zich eigenlijk geen zorgen meer te maken, vind ik. Het gaat een stuk beter met hem sinds de operatie. Hij had een prop in zijn kop. Zo noem ik het. Tumor is zo'n eng woord. Een wegversperring was het, een rotsblok in de rivier. Ze hebben zijn schedel opengezaagd en de prop eruit gehaald. Hij was bijna zo groot als een mandarijn, zeiden ze. Echt waar, ik verzin het niet. Ik heb zo'n operatie toevallig een keer op tv gezien, samen met Sam. Die keek vroeger altijd naar dat soort enge programma's. Ik niet, ik kijk bijna nooit tv, ik lees liever. Dat programma had ik gezien vóór de operatie. Toen vond ik het wel grappig, omdat het zo ongeloofwaardig was. Weet je hoe ze het doen? Eerst met een drilboor een gaatje boren, dan klop, klop met een beitel en toen met een zaag. Hup! Dak eraf. Getver. Je kunt je voorstellen hoe ik me voelde toen papa onder het mes lag.
Gelukkig had Pip dat programma niet gezien. Hij zat zoals gewoonlijk boven aan zijn bos te werken. Anders was hij zeker geflipt.
Pip is altijd ons kuikentje geweest. Er liggen altijd overal wolven op de loer, die hem proberen op te vreten. Op school, bedoel ik. Kinderen.
De laatste tijd wil hij niet meer dat wij ons met hem bemoeien. Daar is hij nu te groot voor, zegt hij. Maar ze zijn er nog steeds, die roofdieren.
Onze vader is schrijver van beroep. Of beter gezegd, hij was het. Héél beroemd. Zijn boeken zijn in wel twintig talen vertaald en daar krijgt hij nog steeds veel geld voor. Dat is het makkelijke van schrijver zijn: je schrijft een boek, en hup: het boek verdient zijn geld voor jou. Je hoeft er niks meer voor te doen. Het moet natuurlijk wel een goed boek zijn dat iedereen wil lezen. Anders verdien je er geen cent mee.

Toen papa thuiskwam uit het ziekenhuis hebben we een groot feest gehouden. Dat was voor de zomervakantie. Het was heel leuk. Ik heb nog weken daarna de restjes gegeten, zo veel lekkers hadden we ingeslagen. Isabel was er ook bij. Zij is vuilnisvrouw van beroep en ze is heel aardig. Eigenlijk heeft zij papa gered van de dood. We wisten namelijk niet dat hij die tumor in zijn hoofd had. Hij had wel heel vaak hoofdpijn, hij schreef al heel lang niet meer en hij zat maar op zijn kamer. Wij deden alles zelf. Nou ja, Sam dus voornamelijk. Alhoewel ik ook zo nu en dan echt wel mijn best doe. Maar ik ben nogal verstrooid. Ik zit meestal óf aan eten te denken óf aan de boeken die ik aan het lezen ben. Sam is in alles veel sneller en handiger. Ik doe alles altijd verkeerd. Maar dat kan ook komen omdat het me niet interesseert.
Isabel heeft papa vlak voor de zomervakantie aangereden, per ongeluk, hoor, met de vuilnisauto. Zij zat achter het stuur. Papa moest met de ambulance naar het ziekenhuis, met een gebroken been en een hersenpudding. Bij testen kwamen ze er toevallig achter dat die prop er zat. Als hij dat ongeluk niet had gehad, was hij er waarschijnlijk aan doodgegaan.
Het was dus een geluk bij een ongeluk. Ik ben Isabel voor eeuwig dankbaar.
We hebben geprobeerd haar over te halen om onze au pair te worden. Helaas had ze er geen zin in. Ze heeft er geen tijd voor, zegt ze. Wat ze dan de hele tijd doet, weet ik ook niet. Ze doet haar vuilnisophaalrondes maar drie keer per week. Ze komt wel regelmatig binnenwippen, en eens in de maand poetsen we met zijn allen het huis. Papa doet dan ook mee.
Het gaat dus een stuk beter met hem. Hij heeft zijn kruk niet meer nodig en hinkt nog maar een beetje. Maar schrijven doet hij nog steeds niet.
Mijn maag rammelt en ik kan niet slapen. Eigenlijk moet ik nu

niet eten. Sam heeft me uitgelegd dat je extra dik wordt van alles wat je 's avonds en 's nachts eet, omdat je niet beweegt. Dat doe ik toch al nauwelijks, hoor. Op de fiets naar school, tien minuten heen, tien terug, en van het ene lokaal naar het andere sjouwen.
Eigenlijk kan het me wél iets schelen, dat ik dik ben. Mijn kleren worden namelijk steeds te klein en ik durf geen nieuwe te kopen. De laatste keer dat ik mezelf in de spiegel van een paskamer zag, ben ik me helemaal te pletter geschrokken. Dat is denk ik minstens twee jaar geleden. Ik vraag altijd of Sam kleren voor me meebrengt. Haar grootste hobby is shoppen. Maar ja, zij heeft dan ook het figuur van een filmster, en ik van een olifant.
Zal ik naar beneden gaan om wat te eten, of niet? Dat is de vraag.
Ik moet een hartje trekken voor het antwoord. Ik doe mijn nachtlampje aan en klim uit bed. Tussen de stapels boeken door loop ik naar mijn bureau en steek mijn hand in de grote glazen pot.

Daar heb ik niks aan. Opeten dus.

Ook opeten.

Dat is wel een antwoord: leuk. Eten is leuk. Op naar de koelkast!

## HOOFDSTUK 2

De hartjes vertellen me wat ik moet doen. Het is ooit als grap begonnen, maar nu gebruik ik ze altijd als ik ergens over twijfel. En dat gebeurt nogal vaak.
Het begon deze zomer. We gingen niet op vakantie, omdat papa moest herstellen van zijn operatie. Isabel kwam regelmatig langs en organiseerde allerlei uitstapjes. Ze probeerde mij ook de hele tijd mee te krijgen. Naar het strand bijvoorbeeld, want daar wonen we dichtbij. Het idee alleen al! Zie je mij al in een badpak? Of in een bikini? Haha. Het hele strand zou gillend leeglopen.
Als ik ooit ga zwemmen, wat heel zeldzaam is, hou ik altijd mijn T-shirt en mijn korte broek aan.
Of Isabel nam iedereen mee naar de film. Maar ik hou niet van de bioscoop, want de stoelen zijn er zo krap. Of wandelen, in de duinen. Maar van wandelen word je moe. Ik snap niet dat iemand dat vrijwillig doet.
Sam en Pip gingen wel altijd met haar mee, en papa ook, als het kon met zijn been. Ik bleef dan alleen thuis.
Maar soms kreeg ik daar toch spijt van, want als ze op stap gingen, gingen ze ook vaak uit eten of op een terrasje zitten, en dat vind ik dus wél leuk. Ik ben dol op sorbets en taart.
Op een dag toen ik weer eens alleen thuis was, had ik een nieuwe voorraad snoep gekocht, bij mijn snoepwinkeltje. Dat

snoepwinkeltje is heel speciaal. Het is een soort tweede thuis voor me. Ik kom er al sinds ik een jaar of acht ben, elke dag, behalve op zondag en als ik ziek ben. Het is een piepklein, ouderwets winkeltje, heel schattig, en het zit verstopt in een zijstraatje in de buurt van school. Het is van oom Ranja. Hij is minstens tachtig of zo, heel aardig en stokdoof. Hij heeft zó veel verschillende soorten snoep, dat wil je niet geloven. Langs de muren staan kasten vol met glazen potten en in elke pot zit iets anders. Ouderwetse soorten snoep, zoals toverballen, perendrups, hete bliksem en stroopsoldaatjes, maar ook alle nieuwe soorten snoepjes, zoals schuimbekballen, rattengif en flash pops. En er zijn tientallen soorten lolly's, chocola, drop, spekjes, kauwgum, schuimpjes, zuurstokken, noem maar op. De hele winkel staat er propvol mee. Ik weet precies waar alles ligt en wat alles kost. Zelfs de glazen potten ken ik op volgorde uit mijn hoofd. De bovenste plank bijvoorbeeld, van links naar rechts: gomballen klein, gomballen groot, hoestbonbons scherp, hoestbonbons zoet, maagpepermunt, pepermuntkussentjes, kauwpepermunt... en ga zo maar door.
Als ik niet kan slapen, doe ik mijn ogen dicht en loop ik in gedachten door het winkeltje heen en kies ik het snoep uit waar ik zin in heb. Soms kan ik het bijna proeven en loopt het water me in de mond. Het nadeel van dit spelletje is dat ik er vreselijke honger van krijg, en dan moet ik weer naar beneden, naar de koelkast of de voorraadkast, om te eten.
De dag dat ik voor het eerst echt naar een hartjessnoepje keek, was iedereen naar het strand. Ik had drie nieuwe boeken en een flinke voorraad lekkers gekocht, onder andere een zak hartjes. Je weet wel, van die zoete vruchtenhartjes. Als je erop zuigt, vallen ze langzaam uit elkaar in je mond. Heerlijk vind ik dat. Ik probeerde te lezen, maar het was stikheet en het boek waarin ik bezig was, viel nogal tegen. Dat is het probleem als je zo veel

leest als ik: op een gegeven moment heb je alles uit en moet je aan de saaiere dingen beginnen.
Ik zat te piekeren of ik toch niet beter mee had kunnen gaan, want Isabel had gezegd dat ze na het wandelen pannenkoeken gingen eten, in de strandtent.
Ik graaide in de zak met hartjes en nam er een uit. Ik dacht: had ik nou mee moeten gaan naar het strand, of niet? En toen las ik toevallig wat erop stond:

Ik moest erom lachen, maar verder besteedde ik er geen aandacht aan. Vlak daarna kwamen ze thuis, veel vroeger dan ze gezegd hadden. Wat bleek: er zaten kwallen in het water en Sam en Pip waren helemaal lek geprikt. Ze waren er ziek van.
Toen moest ik aan dat hartje denken. *Nee*, had het gezegd. Het hartje had het dus bij het juiste eind.
Daarna ben ik vaker een hartje gaan trekken, telkens als ik ergens over twijfelde of piekerde. Ik heb nu een grote pot ervan op voorraad. Die staat op mijn bureau. En ik heb er ook altijd een stel in mijn zakken. Die stop ik er elke ochtend in.
Alleen begint het spelletje de laatste tijd een beetje uit de hand te lopen.
Ik durf bijna niks meer te doen zonder eerst een hartje getrokken te hebben. En ik móét van mezelf doen wat erop staat. De enige uitweg is ze opeten als het antwoord niet met de vraag klopt. Dan kan ik nog wel eens een beetje smokkelen.

## HOOFDSTUK 3

We zitten met zijn vieren aan tafel. Vroeger, voor mijn vaders ongeluk, aten we meestal met zijn drieën en vaak heel laat. Papa at op zijn kamer, of midden in de nacht beneden. Nu is het zeven uur, en papa heeft gekookt. We beginnen echt al op een normaal gezin te lijken. Alleen zonder moeder, natuurlijk.
'Zeg pap, zou het geen idee zijn om op kookles te gaan?' vraag ik met volle mond.
Sam geeft me een trap onder tafel en kijkt me waarschuwend aan. Ik weet heus wel wat ze bedoelt. Ze probeert papa weer te beschermen. Ze vindt dat ik al heel blij moet zijn dat hij voor ons kookt. Ze bedoelt: ondankbaar mormel, hou je kop dicht!
'Wat zeg je, Beer?' vraagt papa.
Weer een trap.
'Kookles! Zou dat iets voor je zijn?'
'Kookles... vind je het eten niet lekker, schat?'
'Nou... best wel. Maar... dit is al de derde dag dat we macaroni eten.'
'Gisteren was het macaroni met kaas,' zegt Sam, 'en vandaag macaroni met paprika, dat is héél iets anders.'
'Vind je?' zeg ik. 'En hou alsjeblieft op met schoppen. Als je wilt voetballen, doe dat dan buiten met een bal.'
Pip verslikt zich in een slok water en proest over de tafel heen. Hij is deze zomer hartstikke gegroeid en steekt nu ruim een kop

boven ons alle twee uit. Hij is net een spijker, zo lang en dun. En dat terwijl hij eet als een nijlpaard. Het is niet eerlijk.
'Hé Pip,' zegt Sam. 'Volgens mij ben je iets vergeten.'
'Wat dan?'
'Je rugzak! Je hebt hem nog om!' zegt Sam lachend.
'Ja, nou en? Mag dat soms niet?'
'Nou, ik vind het raar om met een rugzak om aan tafel te zitten.'
'Dat is mijn zaak,' zegt Pip en hij schept zijn bord voor de tweede keer vol. Zijn rugzak doet hij niet af.
Sam kijkt hulpzoekend naar papa, maar die is net opgestaan om iets te pakken. Hij is er met zijn gedachten niet bij. Ik hoop maar wel dat ze die hele prop eruit hebben gehaald.
'Doe die rugzak af, Pip, doe niet zo idioot!' zegt Sam geërgerd.
'Mens, doe zelf niet zo idioot, bemoei je met jezelf! Je zit weer moedertje te spelen. Laat me met rust.'
'Pap, Pip heeft zijn rugzak nog om.'
Papa gaat weer zitten en spuit tomatenketchup over zijn macaroni. 'Iemand ketchup?'
Sam zucht. Ze ziet er bleek en moe uit. Ze moet hard werken op school. Ze is met haar hakken over de sloot overgegaan. Sam is heel knap om te zien. Tenminste, als ze niet zo veel make-up zou opdoen. Vandaag heeft ze donkerpaarse nagels en een heleboel zwart en paars om haar ogen.
'Je mascara is uitgelopen,' zeg ik, om de aandacht van Pip af te leiden. Hij zit voorovergebogen zijn macaroni naar binnen te lepelen, met zijn linkerhand in zijn schoot. Dadelijk begint ze ook nog over zijn tafelmanieren.
Sam wrijft onder haar ogen en kijkt naar haar vingers. Dan zucht ze nog een keer diep en pakt de tomatenketchup.
'We hebben Isabel al een tijdje niet meer gezien, hè?' zegt Pip.
'Niet met volle mond praten, Pip,' zegt Sam.
'Jeetje mens, bemoei je met jezelf!' roept Pip. 'Zeur toch niet zo!'

'Jongens, jongens, wat is er aan de hand?' vraagt mijn vader en hij kijkt op van zijn bord.
'Pap!' zegt Sam beschuldigend. 'Je hebt je oordoppen nog in!'
Die oordoppen stammen uit de tijd dat papa altijd op zijn kamer zat en probeerde te schrijven, dan had hij geen last van onze herrie. Sam buigt zich voorover en trekt ze eruit.
Papa bloost. 'O, sorry, die was ik helemaal vergeten!'
'Je moet ze weggooien,' zegt Sam. 'Je bent nu toch beter?'
Papa knikt. 'Ja, ik heb helemaal geen hoofdpijn meer, het is echt fantastisch.'
Hij wrijft over het litteken. Zijn haar is alweer bijna helemaal aangegroeid op de plek waar ze zijn dak opengezaagd hadden.
'Voel je je ijzeren poot nog?' vraagt Pip.
'Hij heeft geen ijzeren poot, Pip, het is gewoon een pin die zijn botten bij elkaar houdt,' zegt Sam.
'Wel interessant,' zegt Pip. 'Volgens mij kom je nooit meer door de douane heen, op het vliegveld.'
'We vliegen toch nooit,' mompel ik en ik trek mijn benen in om te voorkomen dat ik weer een trap krijg.
We eten een tijdje door zonder iets te zeggen. Ik smak extra hard om Sam te pesten. Ze doet net alsof ze het niet hoort.
'Weet iemand wanneer Isabel weer komt?' vraagt Pip nog een keer.
'Pap? Weet jij dat?' vraag ik. Mijn bord is leeg. Zal ik nog een keer opscheppen? Ik heb best nog trek, maar ik heb al twee borden op. Ik friemel met de hartjessnoepjes die in mijn zak zitten. Ze plakken een beetje. Ik pak een hartje vast en laat mijn vork op de grond vallen. Onder tafel kijk ik naar wat erop staat.

Hm. Adios. Adios bord macaroni dus. Snel steek ik het in mijn mond.
'Isabel? Nee, ik weet het niet.'
'Ik hoop dat ze gauw weer komt,' zegt Pip en hij schuift zijn bord van zich af. 'Met Isabel erbij is het veel gezelliger. Nou, ik ga naar boven.'
'Wie heeft er de beurt?' vraagt Sam.
'Ik niet,' zeggen Pip en ik tegelijk.
We hebben afgesproken dat we ieder om de beurt de rommel opruimen, na het avondeten. Dat was een idee van Isabel.
'Jawel, jij, Beer.'
'Niet, ik heb het gisteren... eh eergisteren gedaan.'
'Niet waar,' zegt Pip verontwaardigd. 'Toen was ik!'
'Ik ga een lijst maken, en dan schrijven we het op. Dan is er ook geen ruzie meer om,' zegt Sam.
'Ik doe het wel,' zegt papa. 'Gaan jullie maar je huiswerk maken.'
Mijn vingers sluiten zich weer om een hartje.

'Wat heb je daar?' vraagt Sam.
'Niks,' zeg ik. 'Gewoon, een snoepje. Ik help je wel, pap.'
'Jeetje, wat ben jij een vreetzak,' zegt Sam. 'Je hebt net gegeten.'
'Nou en?' zeg ik. 'Het is mijn lijf, niet het jouwe! Bemoeial!'

# HOOFDSTUK 4

Terwijl we samen de vaatwasser inruimen, vraag ik: 'Pap, ben je eigenlijk alweer aan een nieuw boek bezig?'
Papa schudt zijn hoofd en staart in de spiegeling van het donkere raam, achter het aanrecht. 'Nee, niet echt.'
'Heb je nog steeds geen inspiratie?'
We hadden allemaal gehoopt dat, als die prop in zijn hoofd weg was, zijn inspiratie weer terug zou komen. Dat het water weer zou gaan stromen als het rotsblok uit de rivier was gehaald.
Met een treurig gezicht schudt hij zijn hoofd. 'Helaas niet.'
'Nou ja, zo erg is het toch ook niet,' zeg ik nep-opgewekt. Ik kan mezelf wel voor mijn kop slaan dat ik erover begonnen ben. 'We hebben toch geld genoeg, hè? Je hoeft helemaal niet meer te werken.'
Papa knikt. 'Ja, gelukkig lopen mijn boeken nog redelijk. Maar het is minder dan vroeger. Het is alweer zes jaar geleden dat ik mijn laatste gepubliceerd heb... De mensen beginnen me een beetje te vergeten, denk ik.'
'Ik kijk altijd als ik in de boekwinkel ben. Er liggen nog steeds stapels van je, hoor.'
Ik ben altijd heel trots als ik zijn boeken zie. Ik zet ze ook altijd stiekem op een betere plek, zodat iedereen ze goed kan zien. Ik wil later misschien ook schrijver worden, maar ik weet niet of ik het kan. Voorlopig ben ik alleen nog maar een lezer.

‘Was jij vroeger eigenlijk ook al schrijver, pap?’
‘Wat bedoel je met vroeger, Beertje?’
‘Nou, vroeger... toen wij er nog niet waren. Was je altijd al schrijver of heb je ook nog een ander beroep gehad?’
‘Ik ben van alles geweest,’ zegt mijn vader met een grijns. ‘Hoe heet dat? Twaalf ambachten, dertien ongelukken.’
‘Wat dan allemaal?’
‘Uhm... eens kijken. Ik heb eerst gestudeerd... twee jaar rechten, dat vond ik maar saai, toen een jaar economie, dat was nog saaier, en toen ben ik ermee gestopt. Toen ben ik gaan varen.’
‘Gaan váren?’ vraag ik verbaasd. Goh, dat had ik nooit van hem verwacht.
‘Op zee? Als wat? Als kapitein? Of als visser?’
‘Nee, als pianist, op een cruiseschip.’
‘Als pianíst?’ Mijn ogen ploppen er zo’n beetje uit en ik laat bijna een bord uit mijn handen vallen. ‘Maar... er is niet eens een piano in huis. Kun jij dan pianospelen?’
Papa knikt en lacht verlegen.
‘Waarom doe je het nou dan niet meer?’
‘Wat?’ vraagt mijn vader. Hij maakt met een doekje het aanrecht schoon. Ik zie aan zijn gezicht dat hij alweer ergens anders is met zijn gedachten.
‘Pianospelen! Dat is toch hartstikke leuk!’ zeg ik enthousiast.
‘Nee,’ zegt mijn vader. ‘Geen piano meer.’
‘Waarom niet?’
Mijn vaders gezicht betrekt en hij zegt kortaf: ‘Daarom niet, Beer.’
Deze toon betekent: niet verder vragen. Verboden gebied.
‘O...’ zeg ik beteuterd. ‘Sorry... eh... en wat ging je daarna dan doen? Na het pianospelen op het cruiseschip? Wel spannend trouwens, zeg. Was dat leuk, op die boot? Waar ben je allemaal geweest?’

Mijn vader trekt me naar zich toe en geeft me een knuffel. 'Niet zoveel vragen, Beertje. Ik ga nu even naar het nieuws kijken.'

Dat 'verboden gebied' is onze moeder. Papa wil nooit over haar praten. Ongelooflijk stom vind ik dat. Toen we te weten waren gekomen dat Margo niet onze moeder, maar onze au pair was, hebben we hem er helemaal over suf gezeurd. Maar hij deed zijn mond niet open. Hij werd er zelfs heel kwaad om als we te lang doorgingen. Dus langzamerhand hebben we het opgegeven. We weten alleen hoe ze heet. Barbara. En we weten ook dat ze doodgegaan is bij onze geboorte. Ik denk wel eens dat het door mij is gekomen. Omdat ik zo'n dikzak ben. Dat was ik vast ook al als baby. Als ik er niet geweest was, leefde ze misschien nog wel. Ik probeer die gedachte weg te duwen, want daar word ik heel treurig van. Ik mis haar. Maar het stomme is, ik weet niet eens wie ik mis. Ik heb zelfs nog nooit een foto van haar gezien. Oneerlijk vind ik het. En ik snap er ook niks van. En we hebben geen familie om het aan te vragen. Ja, een oude oma in Zuid-Frankrijk, die we nooit zien, en ook nog iemand in Amerika, geloof ik.
De laatste tijd kijk ik wel eens in de spiegel en dan denk ik: hoe zou ze eruitgezien hebben, mijn moeder? Leek ze op mij? Was ze ook zo dik en lelijk? Of was ze klein, tenger en mooi, zoals Sam? Of lang en mager als Pip? Had ze blond haar, zoals Sam, of bruine krullen, zoals Pip en ik? In sommige dingen lijk ik op mijn vader, in mijn verstrooidheid bijvoorbeeld, en dat ik veel van lezen hou. Maar de rest? Waar komt het vandaan?

## HOOFDSTUK 5

Er wordt op mijn deur geklopt. Dat heb ik ze geleerd. Er hangt een kartonnen vel op de deur en daarop heeft Pip met mooie krulletters geschilderd:

*Streng verbooden toegang*
*Op strafe van marteling*
*En de doot!*

Pip heeft wat problemen met spellen, zoals je ziet. Hij leert het maar niet.
Ik wil niet meer dat iedereen zomaar mijn kamer binnenstormt, ook al ben ik dan een derde van een drieling. Ik heb ook recht op mijn privacy. Daarom doe ik mijn deur altijd op slot als ik naar school ga. Sam heeft een tijd geleden een keer zitten neuzen op mijn slaapkamer en toen heeft ze mijn snoepdagboek gevonden.
Er wordt nog een keer geklopt, nu harder.
'Wie is daar?' roep ik. Ik hoop Isabel. Ik vind het ook gezellig als ze er is.
'Sam.'
'O, blijf dan maar op de gang staan.'
'Beer, toe nou,' zegt Sam met haar liefste slijmstem. 'Ik moet je iets vragen. Iets belangrijks.'

‘Nou, vraag dan.’
‘Niet door de deur heen, dan hoort iedereen het.’
‘Is het dan zo’n groot geheim?’ vraag ik pesterig.
‘Doe nou open.’
‘De deur ís open, sufferd.’
Sam komt binnen. Ze heeft de make-up van haar gezicht gehaald en ziet er opeens veel jonger uit. Ze loopt tussen de boeken door naar mijn bureau.
‘Mag ik een snoepje?’ Ze haalt de deksel van de hartjespot.
‘Nee, niet die! Afblijven!’
Verbaasd kijkt Sam om.
‘Hier heb ik een zak drop,’ zeg ik. ‘Neem er daar maar een van.’
‘Heb je ook chocola?’
Ik schud mijn hoofd.
‘Ik heb ontzettende behoefte aan chocola.’
‘O,’ zeg ik.
‘Weet je waarom?’
‘Omdat je niet genoeg gegeten hebt?’
Sam eet altijd maar een muizenbeetje. Wat zij eet, past in mijn holle kies.
Ik zit met gekruiste benen op mijn bed en vis het bovenste boek van de stapel die op de grond ligt. Ken ik al. Bah, ik heb helemaal niks meer om te lezen. Dat is bijna net zo erg als niks te eten. Sam staat te dralen bij mijn bureau.
‘Wat is er nou?’ vraag ik. ‘Waarom doe je zo geheimzinnig?’
‘Ik weet waarom ik zo chagrijnig ben,’ zegt Sam. Ze ploft naast me neer.
‘Wat knap dat je dat zelf weet,’ zeg ik spottend. ‘Waarom dan?’
‘Ik denk dat ik ongesteld word,’ antwoordt ze blozend.
‘Nou en? Is dat zoiets bijzonders?’
‘Ja... Ben jij het dan al?’ Sam kijkt me verbaasd aan.
‘Ja natuurlijk! Al eeuwen. Jij niet dan?’

'Nee,' zegt Sam geschokt. 'Hoe kan dat nou? We zijn toch een drieling?'
Ik proest het uit. 'Ja, nou en? Pip is het toch ook niet?'
Sam kijkt beledigd. 'Ja duh! Doe niet zo flauw. Ik heb buikpijn. Al weken.' Ze drukt haar handen tegen haar onderbuik. 'En ik heb zin in chocola en ik ben stikchagrijnig. Ik heb in een tijdschrift gelezen dat dat de symptomen zijn.'
'Ik heb nooit buikpijn, altijd zin in chocola en ik heb ook altijd een stralend humeur.'
'Pfff, jij wel,' zegt Sam. 'Zeg, hoe kan het eigenlijk dat ik dat niet weet?'
'Wat niet?'
'Doe niet zo onnozel. Dat je al ongesteld bent.'
'Nou, ik ga het echt niet rondbazuinen, hoor. Hé, hallo allemaal, luister eens! Ik ben ongesteld! Ik bloed!'
'Doe even serieus, Beer.'
'Ik bén serieus,' zeg ik. 'Altijd.'
'Maar... uh... hoe doe je dat dan...?'
Ik geef haar een duw. 'Hoe doe je wat? Ongesteld zijn? Mens, hou je me nou voor de gek met die onnozele vragen?'
'Nee, natuurlijk niet,' zegt Sam beledigd.
Ze neemt nog een dropje. Ik steek een handvol in mijn mond.
'Uh... ik bedoelde, wat gebruik je dan?'
'Maandverband en tampons.'
Sam kijkt me vol afgrijzen aan. 'Durf je dat?'
'Wat?'
'Tampons?'
'Ja natuurlijk, daar is toch niks aan?'
Ik zie dat Sam niet verder durft te vragen. Ze krabt zenuwachtig schilfers paarse lak van haar nagels.
Ik krijg medelijden met haar. 'Als het zover is, moet je maar komen, hoor.'

Het voelt fijn om dit te kunnen zeggen. Normaal weet zij altijd alles beter.
'Heb jij dan... spullen?'
Ik knik van ja en steek nog meer drop in mijn mond.
'Koop je die dan zelf?'
'Nee, ik vraag of Pip het voor me doet, nou goed! Ja natuurlijk, daar is toch niks aan?'
Sam springt overeind. 'En... en leg je me dan uit hoe het allemaal moet?'
'Jeetje Sam, je leest zo veel tijdschriften. Staat dat er niet in?'
Ze schudt hopeloos haar hoofd. Ik doe mijn boek open en doe net of ik lees.
'Beer...'
'Ja?'
'Zou jij... mis jij... heb jij nou nooit... vraag jij je nooit af...'
Ze maakt haar zin niet af, maar ik weet wat ze bedoelt. Dat is drielingtelepathie, denk ik. Ik geef geen antwoord.
Sam loopt naar de deur. 'Nou... ik zal je wel vertellen wanneer ik leeg begin te lopen.'
Ik kijk op en grijns. 'Nou, zo erg is het ook weer niet, hoor. De eerste keer bij mij stelde niet veel voor. Paar drupjes maar.'
'O,' zegt ze opgelucht. 'Bedankt Beer.'
Als ze bij de deur is, zeg ik, zonder op te kijken uit mijn boek:
'Ja, natuurlijk. Ik denk daar ook over na. En ik mis haar ook!'
Sam knikt. Ze begrijpt ook wat ik bedoel.
'Bedankt, Beer,' zegt ze nog een keer en ze doet de deur keurig achter zich dicht.

# HOOFDSTUK 6

'Hé, heb je die rugzak nou nog om? Heb je er soms mee geslapen?'
Pip staat in zijn pyjama voor de wastafel zijn tanden te poetsen, met zijn rugzak om. Ik geef er een klap op.
'Wat zit er eigenlijk in? Drugs? Ben je dealer geworden? Of heb je een bank beroofd?'
Pip draait zich om en zegt, met zijn mond vol schuim: 'Blijf met je vingers van mijn rugzak af!'
'Nou nou, doe niet zo boos. Jeetje, het was maar een grapje!'
'Geen leuk grapje.' Pip bukt zich en spuugt het schuim uit.
'Jullie moeten je niet zo met mij bemoeien. Ik ben geen klein kind meer.'
'Nee, je bent bijna een kop groter dan ik,' zeg ik bewonderend, om hem weer te kalmeren. 'Volgens mij word je zelfs langer dan papa.'
'Denk je?'
Ik knik en doe tandpasta op mijn tandenborstel. Ik poets mijn tanden tegenwoordig wel drie keer per dag, want vaak als ik iets zoets eet, krijg ik kiespijn.
'Ik heb beneden iets gemaakt,' zegt Pip. 'In de keuken. Maar je mag het nog niet gebruiken, het moet eerst drogen.'
'Is het eetbaar?'
'Nee.'
'Jammer,' zeg ik teleurgesteld. 'Wanneer heb je dat dan gedaan? Vanmorgen vroeg al?'

Pip knikt en loopt de badkamer uit. Zijn pyjamabroek is zo kort dat hij halverwege zijn kuiten komt.

'Moet je dit nou zien,' zegt Sam, als ik beneden kom. 'Pip heeft de hele keukendeur zwart geschilderd! Met schoolbordverf.'
Ik grinnik. 'Waar is dat nou goed voor? Het lijkt wel een zwart gat. Als je erdoorheen loopt, kom je in een andere wereld terecht.'
'Haha, dat zou leuk zijn! Waar zou jij heen gaan?'
Ik denk na. 'Uhm... luilekkerland.'
Sam grinnikt. 'Ik naar het verleden. Dat lijkt me zo spannend, om door de tijd te kunnen reizen. Kijk, hier liggen krijtjes. Dan schrijf je er gewoon op waar je heen wilt en dan stap je erdoorheen.'
'Niet doen, het is nog niet droog,' zegt Pip, die net binnenloopt. Hij is aangekleed, compleet met rugzak. 'Het is om de beurtenlijst op te schrijven, Sam. Dan hebben we daar tenminste geen ruzie meer over.'
'Goed idee, Pip! Handig. En we kunnen er ook andere dingen op schrijven. Waar we heen gaan, en afspraken en telefoonnummers en zo. In plaats van de gele briefjes!'
Vroeger communiceerden we met elkaar via gele Post-it-briefjes. De laatste tijd doen we dat minder, omdat we elkaar meer zien.
'Ik schilder hem vanmiddag nog een keer over, dan kunnen we er morgen op schrijven,' zegt Pip.
'Leuk!' zegt Sam. 'Goed idee, Pippie! Wat ben je toch creatief!'
'Noem me geen Pippie!'
'Sorry hoor, ik wilde alleen maar aardig doen. Zeg, zit die rugzak vastgelijmd of zo?'
Pip geeft geen antwoord en loopt zonder iets te zeggen naar buiten.
'Hé,' roept Sam hem achterna, 'je hebt niks gegeten! Moet je geen brood mee? En drinken?'

Maar Pip is al weg. Een paar seconden later zien we hem het tuinpad af fietsen, diep over zijn stuur gebogen.
Ik snij drie plakken ontbijtkoek af en smeer er een dikke laag roomboter over. Sam kijkt ernaar, maar zegt niks.
'Pip doet vreemd, hè?' zeg ik met volle mond.
Sam knikt en schenkt een glas sap in. Dat is haar hele ontbijt. Ze zegt dat ze 's ochtends geen honger heeft. Ik heb altijd honger als een leeuw. 's Ochtends, 's middags én 's avonds en daartussenin ook.
'Ik vraag me af wat er in die rugzak zit.'
'Ik ook. Zou hij weer gepest worden op school? Misschien heeft het daarmee te maken.'
Sam haalt haar schouders op. 'Wat dacht je? Een pistool? Of een hamer? Hij zegt er niks over. Ik ben allang blij dat hij niet meer in elkaar gemept wordt, zoals op de basisschool.'
'Ik denk dat ze dat niet meer durven. Hij is nu groter dan iedereen in zijn klas.'
'Stom van hem dat hij niet op onze school wilde.'
Ik knik. Een bord havermoutpap, daar heb ik zin in. Maar ik kreeg mijn broek vanmorgen bijna niet dicht. Ik moest er plat voor op bed gaan liggen. Sam staat met haar rug naar me toe. Ik haal gauw een hartje uit mijn zak.

Sam draait zich om. Gauw stop ik het snoepje in mijn mond. Ik loop naar haar toe en geef haar een zoen.
Ze duwt me weg. 'Getver, Beer! Ben je lesbisch geworden of zo?'

Ik giechel. 'Ja, ik ben verliefd op je. Wil je verkering met me?'
'Je bent compleet geschift.'
'Weet ik. Zeg, wist jij trouwens dat papa heel goed piano kan spelen?'
'Nee? Echt? Hoe weet je dat?'
'Hij heeft het me verteld gisteren, tijdens de afwas. Hij is de laatste tijd veel mededeelzamer dan vroeger, vind je niet?'
'Mededeelzamer. Beer, dat klinkt echt niet. Je praat soms als een wandelend boek. Vertel, wat zei hij?'
'Hij is pianist op een cruiseschip geweest!'
'Jeetje! Wauw! Wat leuk! Op een cruiseschip! Waarom hebben we geen piano? Ik ga er een kopen, als verrassing! Ja, dat ga ik doen!' Sam staat op en neer te wippen van enthousiasme.
'Ja, en koop er meteen een groot jacht met gouden kranen bij. Idioot, doe niet zo gek! Piano's zijn hartstikke duur.'
'We zijn rijk genoeg!'
'Zo rijk nou ook weer niet. Papa zegt dat zijn boeken minder goed verkopen dan vroeger.'
Sam kijkt beteuterd. 'Wát? Betekent dat dat ik geen kleren meer kan kopen? Zijn we arm?'
'Nee, zo erg is het nou ook weer niet, geloof ik. Maar je moet geen piano kopen, gek. En bovendien wil hij niet meer spelen. Hij wilde er ook niet over praten. Dus zeg er maar niks over tegen hem. Je weet wel...' Ik trek er een veelbetekenend gezicht bij. 'Beloof je dat?'
Sam knikt, maar ik zie aan haar ogen dat ze wat anders van plan is. Stom van mij. Onderhand zou ik toch moeten weten dat Sam haar mond nooit kan houden.

# HOOFDSTUK 7

Ik besluit om voor school eerst nog even langs oom Ranja te fietsen. Ik heb toch nog tijd genoeg. Als ik iets te snoepen heb, kan ik me beter concentreren. Ik het het eerste uur een proefwerk biologie en ik wil het per se goed maken. Ik sta nu gemiddeld maar een acht komma drie en dat is te weinig. Snoepen onder de les is wel riskant. Als je gesnapt wordt, kun je de boel inleveren en naar de conrector. Ik heb een speciale methode ontwikkeld. Slowmotion snoepen.
Ik fiets altijd alleen naar school. Ik ga vroeg weg want ik wil rustig fietsen. Als ik snel fiets, ga ik zweten en dan stink ik. Sam fietst altijd als een idioot en bovendien speelt ze het dan ook nog klaar om aan één stuk door te kleppen. Daar heb ik 's ochtends echt geen zin in. En bovendien wil ik niet dat ze van oom Ranja af weet. Dat is mijn geheim.

'Goeiemorgen Zwaantje!'
'Goeiemorgen oom Ranja.'
'En wat mag het zijn vandaag, schoonheid?'
Oom Ranja is altijd heel complimenteus. Hij is de enige op de hele wereld die me Zwaantje noemt. Hoewel die naam natuurlijk totaal niet bij me past. Dikke gans past beter. Of waggeleend. Hij noemt me zo sinds ik klein was, toen ik hem verteld had dat ik Van Zwanenburgh van mijn achternaam heet.

'Uhm... een half pond hartjes, enne... twee ons muntdrop, enne... een half pond pindarotsjes...' Terwijl ik het zeg, loopt het water me in de mond.
'Wat zeg je, schat? Beetje harder praten, anders verstaat oom Ranja je niet.'
Ik schreeuw mijn bestelling nog een keer. Terwijl oom Ranja met de papieren zakjes in de weer gaat, kies ik nog wat kleine dingen uit. Tien zure matjes, drie zakjes zwart-wit, vijf duimdroppen, een grote reep chocola voor Sam, drie toverballen...
Opeens voel ik weer hoe strak mijn broek zit. Zo is het wel genoeg. Oom Ranja doet alles bij elkaar in een plastic zak. Zijn gerimpelde oude handen beven een beetje. Ze zitten vol met bruine vlekjes. Eerst dacht ik altijd dat het chocoladevlekken waren, maar oom Ranja heeft verteld dat het van de ouderdom is. Hij houdt de reep chocola vlak voor zijn gezicht en tuurt er met samengeknepen ogen naar, door zijn dikke bril.
'Vroeger, prinses, kende oom Ranja alle prijzen uit zijn hoofd. Maar nu begint hij een beetje vergeetachtig te worden.'
Oom Ranja praat altijd over zichzelf in de derde persoon en hij zegt ook oom tegen zichzelf. Dat is lachen. Hij is een vriendelijk, dik mannetje, en hij komt uit India. Hij heet natuurlijk niet echt Ranja, maar Rachna. Toen ik hier in het begin kwam, verstond ik het verkeerd, en het is sindsdien altijd oom Ranja gebleven. Nu noemt iedereen hem zo. Hij woont hier al heel lang. Net als ik leest hij heel graag. Op de toonbank ligt een dik boek. Het heet *Oorlog en vrede*, van Tolstoj. Er ligt een dropveter in als bladwijzer. Oom Ranja's vrouw is al heel lang dood en hij heeft geen kinderen. Hij zegt zelf dat hij er wel honderd heeft: zijn klanten.
'Twee vijfennegentig,' zeg ik.
'Wat zeg je, Zwaantje?'
'DIE REEP KOST TWEE VIJFENNEGENTIG!'
'Tut-tut, niet zo luid, ik hoor heel goed, hoor!' zegt hij lachend.

Oom Ranja heeft heel mooie tanden voor iemand met een snoepwinkel, maar ik denk dat het een kunstgebit is. Ik hoop maar niet dat ik er later ook een krijg. Dat lijkt me zo afschuwelijk. Lig je 's nachts in bed en dan grijnzen je tanden je toe, vanuit een glaasje water op je nachtkastje. Brrrr.
'Kan ik afslaan, schoonheid?'
Dat betekent niet dat hij me gaat slaan, hoor. Hij bedoelt de kassa. Hij heeft nog zo'n ouderwetse, die tring zegt. En hij vraagt het ook omdat ik meestal op het laatst gauw nog een paar dingen erbij neem. Maar nu doe ik dat niet. Ik moet sterk zijn, anders knap ik uit mijn broek.
'Alleen deze er nog bij.' Ik leg een pakje suikervrije kauwgum op de toonbank.
'Alsjeblieft, dametje. Goed de tandjes poetsen, hè?' Oom Ranja knipoogt naar me en grijnst breed met zijn spierwitte gebit.
Ik voel met mijn tong aan de kies die een beetje jeukt. Het is al heel lang geleden dat we naar de tandarts geweest zijn. Ik weet niet wanneer het was. Op dat soort dingen let papa niet. En Sam ook niet. Mijn blik valt op de klok aan de muur. Stik, is het al zó laat? Stommerd die ik ben, nu moet ik toch hard fietsen.
'Doe ik, oom Ranja. Ik moet opschieten. Dag!'
'Zwaan, heb ik je al verteld dat vanaf morgen de winkel dicht is?'
Bij de deur draai ik me verbaasd om. 'Nee, ik weet van niks. Morgen is het toch gewoon donderdag?'
'Wat zeg je, meisje?'
'HET IS MORGEN TOCH DONDERDAG?'
Oom Ranja knikt. 'Ja ja, donderdag. Donderdag gaat oom Ranja naar het ziekenhuis. Donderdag is de grote dag.'
'Bent u ziek, oom Ranja? Wat is er aan de hand?'
Oom Ranja staat vriendelijk te glimlachen en te knikken, met zijn handen voor zijn buik gevouwen. Dat doet hij altijd als hij iets niet verstaat.
Hij wuift naar me. 'Tot vanmiddag, meisje!'

Op school kan ik me niet concentreren op het proefwerk. Ik hoop maar niet dat er iets ergs met oom Ranja aan de hand is. Ik heb niks speciaals gemerkt. Hij klaagt nooit, behalve over het slechte weer, zijn jubeltenen en zijn stramme rug.
Het meisje dat naast me zit, snuft de hele tijd. Ze ruikt mij zeker. Ze durft er toch niks van te zeggen. Een jongen heeft me in de eerste klas ooit één keer voor stinkdier uitgemaakt. Nou, dat heeft hij geweten. Hij een bloedneus en een blauw oog en ik drie dagen geschorst. Maar dat had ik er graag voor over. Met Beer valt niet te spotten.
Maar dat zweten is wel lastig. Ik gebruik massa's deo, maar het helpt niet. Ik heb ook altijd natte plekken. Smerig gezicht. Daarom hou ik zoveel mogelijk mijn jas aan. Maar daar krijg ik het weer warm van. Wat een gedoe. Het is helemaal niet leuk om groot te worden. Vroeger had ik hier helemaal geen last van.
Langzaam breng ik het dropje van de ene kant van mijn mond naar de andere kant. Ik ben klaar met het proefwerk. Zal ik nog dingen veranderen?
Ik twijfel over een multiplechoicevraag. Mijn hand glijdt naar mijn broekzak. Het is moeilijk om er een hartje uit te wurmen als ik zit.
Opgave zeven, is die goed? vraag ik in gedachten. Ik heb er een te pakken. Ik schuif een stukje achteruit en gluur onopvallend naar beneden.

'Berenice! Wat ben je daar aan het doen? Toch hopelijk niet aan het spieken, hè?'
De leraar komt met grote stappen op me af. Stik! Raak, inderdaad.

# HOOFDSTUK 8

'Waarom moet u morgen naar het ziekenhuis?'
Oom Ranja antwoordt niet, maar schenkt met bibberhanden mijn kopje vol. Hij kan geen twee dingen tegelijk doen, dus ik moet mijn ongeduld nog even bedwingen. We zitten samen achter de toonbank, op twee oude keukenstoelen. Vandaag krijg ik marsepeinen aardappeltjes bij de thee. Heerlijk vind ik die. Ik maak er altijd eerst leuke vormpjes van en stop ze dan in mijn mond. Ik kneed een hartje van de eerste en een worm van de tweede. We hebben gymnastiek gehad, wat ik rampzalig vind, dus ik kan best wat extra calorieën gebruiken. Meestal probeer ik onder gym uit te komen, maar deze keer lukte het niet.
Na school ga ik elke dag hiernaartoe, om thee te drinken. Sam denkt dat ik extra lessen heb, in Spaans en sterrenkunde, maar dat is helemaal niet waar. Vandaag ben ik wat later dan normaal, want ik moest van die stomme leraar een half uur papiertjes prikken op het schoolplein, omdat hij dacht dat ik aan het spieken was en omdat snoepen onder de les verboden is.
Als oom Ranja klaar is met in zijn kopje roeren stel ik de vraag weer, maar de deurbel klingelt en er komen twee kleine meisjes binnen. Ze zijn helemaal niet verbaasd dat wij daar zitten. Bijna iedereen die hier komt, is vaste klant.
'Hoi Ellen en Faya,' zeg ik en ik sta op. 'Wat mag het zijn, dames?'

Ik vind het leuk om winkeltje te spelen en oom Ranja vindt het prima, dan kan hij even pauzeren. Hij is best vaak moe de laatste tijd.
'Voor vijftig cent schuimpjes, juffrouw Zwaan,' zegt het grootste meisje giechelend. Ze gaat op haar tenen staan en duwt me een kleverige warme munt in mijn hand. Ze komt net met haar neus boven de toonbank uit. Ik moet aan mijzelf denken, toen ik klein was.
'Nee Ellen, we zouden toch gomballen doen?' zegt het kleinere meisje.
'Niet waar, schuimpjes. Schuimpjes zijn veel lekkerder, Faya.'
'Gomballen!'
'Zullen we voor de helft gomballen en voor de helft schuimpjes in het zakje doen?' vraag ik.
De meisjes knikken. 'Doe er maar een heleboel in,' zegt de kleinste. 'Vooral gomballen.'
'Goed,' zeg ik, 'dat zal ik doen.' Ik knipoog naar het andere meisje.
Oom Ranja is intussen opgestaan en schuifelt naar het schoolbord toe. Dat zet hij altijd voor de deur als de winkel dicht is, met het snoepje van de week erop. Met een spons veegt hij het schoon.
'Wat ga je erop schrijven, oom Ranja?' vraagt het kleinste meisje.
'Wat zeg je, Faya?'
'WAT SCHRIJF JE EROP?'
'Ge-slo-ten, dat schrijf ik erop.'
'WAT IS GESLOTEN?'
'De winkel, liefje. De winkel gaat voor een paar daagjes dicht.'
'Wanneer is hij dan weer open?' vraagt Faya.
Oom Ranja hoort het niet en tekent met zijn tong uit zijn mond een lachende zuurstok met een hoed op erbij.

'HOE LANG MOET U NAAR HET ZIEKENHUIS, OOM RANJA?'
roep ik.
'Niet lang, niet lang. Een weekje hoogstens.'
'MAAR WAARVOOR DAN?'
Oom Ranja zet zijn bril af en wijst naar zijn linkeroog. 'Staar. Oudemensenkwaal. Oom Ranja krijgt een nieuw oog.'
De twee geven allebei een gilletje. 'Iek, jasses! Een glazen oog?' vraagt Ellen.
'Nee, dat denk ik niet,' zeg ik. 'Ik denk dat ze er een knikker in stoppen. Of een kauwgumbal.'
Geschrokken kijken ze mij aan.
'Grapje,' zeg ik.
'De winkel mag niet dicht,' zegt Ellen. 'Waar moeten we dan snoepjes kopen?'
'Ergens anders,' antwoord ik. 'In de supermarkt, bijvoorbeeld.'
'Daar mogen we niet heen,' zegt het kleintje. 'Dan moeten we de grote weg oversteken.'
Ze loopt naar oom Ranja toe en pakt zijn hand. 'Ga maar niet naar het ziekenhuis, oom Ranja. Met een kauwgumbal kun je toch niks zien, alleen maar kleurtjes!'
Oom Ranja knikt lachend naar haar en aait haar over haar hoofd. Hij verstaat er niks van.
'Kijk eens, allebei een dropje, en nu opgehoepeld,' zeg ik.
De kinderen huppelen de deur uit. Bij de deur draait Faya zich om. 'Oom Ranja, misschien kun je ook nieuwe oren vragen!'
De meisjes proesten het uit en rennen weg. Ik glimlach. Kleine kinderen zijn veel leuker dan grote.
Oom Ranja schenkt mijn theekop weer vol en doet er twee klontjes in. In die van hemzelf doet hij er vier. Ik neem nog een marsepeinen aardappeltje.
'WAT GAAN ZE NOU PRECIES DOEN IN HET ZIEKENHUIS?'
roep ik.

‘Oom Ranja krijgt een staaroperatie,’ zegt oom Ranja. ‘Dit oog doet het niet meer goed. Het is zo gepiept, zegt de dokter. Over een weekje is de winkel weer open.’
‘O... een week...’ Ik kneed een dobbelsteen van mijn marsepein. Dan krijg ik opeens een geweldig idee. Ik denk razendsnel na. Zou het kunnen? Best wel. Waarom niet? En het lijkt me geweldig leuk. En ik help oom Ranja ermee, want hij heeft volgens mij helemaal niet zo veel geld. Maar wat zeg ik dan thuis? Ik bedenk wel wat.
In mijn hoofd stel ik de vraag. Dan loop ik naar de grote glazen pot met hartjes toe, doe hem open en pak er een hartje uit.

‘Oom Ranja,’ zeg ik en ik kruis mijn vingers. ‘Ik heb een idee.’

# HOOFDSTUK 9

Als ik thuiskom, is Isabel er. Ze staat aan het aanrecht groente te snijden. Pip roert in een grote pan. Hij heeft nog steeds zijn rugzak om.
'Hoi Isabel! Ha Pip.'
'Ha die Beer! Wat ben je laat, zeg. Lange dag op school zeker?'
'Ja, vandaag had ik na het achtste uur nog Spaans. Wat eten we?'
'Nasi,' zegt Pip.
'Mmm... het ruikt al lekker. Heel wat beter dan macaroni!'
Mijn maag rammelt alweer, ondanks alle snoep die erin zit.
'Waar is papa?'
'Op zijn kamer. Hij is boos op Sam,' zegt Pip.
Ik gooi mijn rugzak neer, ga aan de keukentafel zitten en pak een banaan van de fruitschaal. 'Waarom?'
'Ze zat door te draven over een piano. Papa zei dat ze erover op moest houden, maar ze zaagde maar door. En toen viel hij uit. Sam huilen, papa boos naar zijn kamer.'
'Hij draait wel bij, Pip,' zegt Isabel. 'Maak je er maar niet druk om. Hier, de prei kan erbij.'
'Het gaat over onze moeder,' zegt Pip tegen Isabel. 'Onze vader wil het nooit over haar hebben.'
'Ja, dat heb ik ook gemerkt,' zegt Isabel.
Ze ziet er leuk uit. Ze heeft een lage spijkerbroek aan, een brede witte riem en een strak roze vestje. Ik wou dat ik zo'n figuur

had. Terwijl zij al bijna dertig is of zo. Het is niet eerlijk.
'Het is een taboe,' zeg ik met een zucht en ik steek het laatste hapje banaan in mijn mond.
'Wat voor een ding?' vraagt Pip.
'Weet je niet eens wat dat is? Een taboe, dat is iets waar je niet over mag praten.'
'Boekenwurm,' zegt Pip.
'Toevallig krijg je van lezen een grote woordenschat, hoor,' zeg ik. 'Zou jij ook eens moeten proberen.'
Dat is gemeen van mij. Ik weet dat hij veel moeite heeft met lezen en dat hij het daarom niet doet.
Met een gekwetste blik in zijn ogen roert Pip in de pan.
'Wat zit er eigenlijk in je rugzak?' vraag ik.
'Niks mee te maken,' mompelt Pip.
'Doe hem toch af, het ziet er niet uit.'
'Wil jij de tafel dekken, Beer?' vraagt Isabel en ze geeft me een knipoog. Laat maar, zegt ze geluidloos.

Aan tafel is het niet erg gezellig, hoewel Isabel haar best doet en het eten heerlijk is. Papa zegt niet veel en Sam zit te mokken.
'Ikke... ik ben zaterdag de hele dag niet thuis,' zeg ik. 'En morgen pas tegen kwart over zes.'
'Waarom?' vraagt Pip. 'Jij gaat toch nooit ergens heen? Heb je soms een vriendje?' Hij barst in lachen uit.
'Waarom lach je zo stom? Is dat zo'n raar idee, ik een vriendje? Nou, bedankt Pip!'
'Wat ga je dan doen, Beer?' vraagt papa.
'Uh... ik ga sporten.'
Papa kijkt op van zijn bord. 'Beer, wat goed van je!'
'Wát, jij sporten?' Sam proest haar rijst over tafel heen.
'Hou je eten binnen, mens,' zeg ik kwaad.
'Wat voor een sport ga je doen?' vraagt Isabel vriendelijk.

'Uhm... atletiek. En op zaterdag is er een wedstrijd.'
'Wedstrijd tonnetje-rollen zeker? Of stoepje-stuiteren?' vraagt Sam lachend.
'Stomme trut!'
'Hoho, niet schelden,' zegt papa. 'Wat is dat, stoepje-stuiteren?'
Sam grijnst. 'Een sport voor dikke mensen.'
Ik werp haar een vernietigende blik toe en sis: 'Opgeblazen menstruatiemonster!'

Na het eten stampvoet Sam naar haar kamer. Ik heb alweer spijt. Maar zij was ook gemeen. Ik zie dat ze op de keukendeur de beurtenlijst heeft geschreven.
Pip heeft er een tekening bij gemaakt. Hij heeft de beurt vandaag.
Isabel helpt hem. Ze zijn dikke vrienden. Ik ben niet jaloers, ik ben blij dat Pip haar graag mag. Hij heeft verder niemand. Behalve ons natuurlijk. Ik vind haar ook heel aardig. Sam is nog steeds een beetje stug tegen Isabel. Ze vertrouwt mensen niet. Ze denkt altijd dat iedereen alleen maar aardig tegen ons is omdat we rijk zijn en papa beroemd is.
Ik zit boven mijn wiskundeboek, met mijn mond vol pindarots, als er op mijn deur geklopt wordt.
'Wie is daar?'
'Isabel.'
'Kom maar binnen.'
Isabel loopt tussen de stapels boeken op de grond door en kijkt over mijn schouder.
'Zo, wat moeilijk. Snap je daar wat van?'
'Makkie, stelt niks voor.'
'Ik was vroeger heel slecht in wiskunde,' zegt Isabel.
'Waar was je wel goed in?'
'In gym, en talen.'

Isabel pakt een boek van een stapel, gaat ermee op bed zitten en bladert erin.
'Schrijf je de laatste tijd nog wel eens gedichten?' vraag ik. 'Ik vond ze echt goed, hoor.'
Isabel doet net alsof ze me niet hoort. Toen ze ons nog niet kende stopte ze gedichten in brievenbussen, omdat geen enkele uitgever ze wilde uitgeven. Niet alleen bij ons hoor, maar overal waar ze op haar vuilnisronde langskwam. Isabel is een heel apart iemand. Ze doet precies wat ze zelf wil en trekt zich van niemand een barst aan. Ik wou dat ik zo was. Ik doe altijd alsof dingen me niet kunnen schelen, maar dat is helemaal niet zo.
'Is dit leuk?' Isabel houdt het boek omhoog.
'Gaat wel. Beetje saai op het eind. En voorspelbaar ook.'
Ze kijkt de kamer rond. 'Heb je ál deze boeken gelezen, Beer?'
Ik knik. 'Ja. Allemaal. Ik heb niks meer te lezen op het moment. Ik lees sneller dan dat er boeken uitkomen.'
'En de bibliotheek?'
'Alles uit.'
'Lees je al grotemensenboeken?'
Ik haal mijn schouders op. 'Soms. Wel een paar keer geprobeerd. Maar ik vind ze vaak saai.'
'Tja, als je veertien bent zit je er net tussenin. Lees je wel eens Engels?'
Ik schud van nee.
'Misschien moet je dat eens proberen. In het begin is het wel lastig, maar na een tijdje merk je het niet meer. Het is heel goed voor je Engels op school.'
'Hm,' zeg ik. 'Goed idee. Ik sta maar een acht.'
'Máár een acht?' zegt Isabel lachend.
Ik lach ook. 'Pindarotsje?' Ik steek het zakje naar haar uit. Het is al bijna leeg. Isabel knikt. Ze neemt er een en loopt naar het raam toe. Met haar armen over elkaar geslagen kijkt ze naar buiten.

'De zwanen zijn er nog steeds, hè?'
Ik knik. 'Soms zijn ze een paar dagen weg, maar ze komen altijd terug.'
'Wel jammer dat jullie het zwembad niet kunnen gebruiken.'
'Ik zwem toch niet graag,' zeg ik. Plotseling voel ik mijn broek weer knellen. Misschien moet ik echt gaan sporten.
'Beer, waarom wil jullie vader niet over jullie moeder praten?'
'Weet ik niet. Dat is altijd al zo geweest. Al vanaf dat we klein waren.'
'Waaraan is ze gestorven?'
Ik haal mijn schouders op en steek het laatste pindarotsje in mijn mond. 'Weet ik niet precies. Aan ons.' Mijn kies steekt. Ik druk mijn hand tegen mijn kaak.
Isabel draait zich om. 'Heb je wel eens een foto van haar gezien?'
Ik schud mijn hoofd.
'Dat moet raar zijn... als je niet weet hoe je moeder eruitziet.'
'Dat is het ook... Zeg, weet jij waarom Pip zijn rugzak niet afdoet?' vraag ik om van onderwerp te veranderen.
'Nee,' zegt Isabel. 'Laat hem maar met rust. Dat heeft hij nodig.'
'Vind je het dan niet vreemd dat hij er altijd mee rondloopt?'
Isabel haalt haar schouders op. 'Ach, we hebben allemaal onze afwijkingen,' zegt ze lachend. 'Het gaat wel weer voorbij.'

## HOOFDSTUK 10

'Sam?'
Ik klop op haar deur.
'Sam, slaap je al?'
Geen antwoord, maar ik hoor de televisie. Sam kijkt altijd eindeloos naar soaps, films en weet ik wat allemaal. Net zoals Pip leest ze nooit een boek.
Ik doe de deur open. Sam ligt tussen een hele berg kussens in haar bed, met het dekbed tot haar kin opgetrokken. De kamer is donker, op het geflikker van de televisie na.
'Wat kom je doen?' vraagt ze nors, zonder op te kijken.
'Ik heb wat voor je.'
Ik loop naar haar toe en gooi de reep chocola op haar bed.
'Hier, dat is goed voor je symptomen. In chocola schijnen stofjes te zitten die helpen tegen een pesthumeur.'
Sam pakt de reep. 'Nou... bedankt,' zegt ze stug, maar ik zie dat ze er blij mee is. Ze maakt hem open en breekt er een stuk af. 'Jij ook?'
'Nee, dank je,' zeg ik.
'Beer! Ben je ziek?'
Ik por met mijn tong tegen de kies. 'Beetje kiespijn,' zeg ik.
'Zeg, hebben wij eigenlijk een tandarts?'
Sam schudt haar hoofd en zet het geluid van de tv zachter. 'Nee, volgens mij niet.'

'Ik zou er toch niet naartoe durven,' zeg ik. 'Ik heb vast heel veel gaatjes. Waarschijnlijk moet ik meteen een kunstgebit. Weet jij wanneer we voor het laatst geweest zijn?'
'Uh... Ik denk... Dat was toen Katrien Duck er nog was. Toen we negen waren.'
Katrien Duck was een van onze au pairs. Ze was een enorme kletskous en ze probeerde papa aan de haak te slaan. Niet gelukt natuurlijk, want papa haat lawaaipapegaaien.
'Jij had toen twee gaatjes, en wij geen.'
'Dat je dat nog weet.'
Sam grijnst. 'Ik weet ook nog dat je schreeuwde alsof je vermoord werd en dat je de assistente in haar hand gebeten hebt.'
'Haha, daarom weet ik het dus niet meer. Ik heb het verdrongen.'
'Wat is dat nou weer?'
'Dat is dat iets zo vervelend was dat je het uit je geheugen gewist hebt. Je hebt de herinnering in een put gegooid met een grote steen erop.'
'Ha, ik ken nog iemand die zoiets gedaan heeft.'
'Stom dat je over die piano begon,' zeg ik. 'Ik had toch gezegd dat je er niet over moest praten?'
Sam neemt met een schuldig gezicht nog een grote hap van haar chocola. 'Ik kan er niks aan doen. Ik ben gewoon een megaflapuit.'
'Ja, dat weet ik,' zeg ik. 'Ik soms ook.'
'Sorry van daarnet,' mompelt Sam.
'Ik ook.'
Sam zet de tv weer harder. 'Kijk je mee?' vraagt ze. 'Mijn lievelingssoap begint.'
'Nee. Geen zin. Alhoewel... ik heb toch niks meer te lezen.'
Sam schuift een stuk op en klopt uitnodigend op de vrijgekomen plek.

‘Maar ik heb mijn kleren nog aan.’
‘Is niet erg.’
Ik schuif erbij.
‘Kijk... de grap is dat iedereen de hele tijd liegt. Niemand vertelt elkaar de waarheid in een soap. Iedereen houdt iedereen voor de gek en iedereen heeft geheimen. Daarom is het zo leuk. Zij bijvoorbeeld, met die rode haren en die ordinaire jurk, is verliefd op hem, maar hij is verliefd op iemand anders. En die iemand anders... kijk, daar is ze, die blonde, die is zwanger van de vader van die jongen! Je gelooft het niet! En die vader...’
Ik luister maar met een half oor. Soaps interesseren me geen barst. Boeken zijn veel leuker, daarbij kun je je tenminste in je hoofd voorstellen hoe het allemaal is.
Ik laat mijn ogen door Sams kamer dwalen. Over de hele lengte van de muur is een kleerkast met spiegels. De kamer, die toch al enorm groot is, lijkt door die spiegelwand wel een balzaal. Een balzaal met een hemelbed in het midden en een levensgrote etalagepop ernaast. Die pop heeft ze een paar jaar geleden met Kerstmis van onze oma gekregen. Ze heet Annabel. Vandaag heeft ze een blonde pruik op. Ze draagt een roodgeruit rokje en een zwart topje met glitters. Zo te zien heeft Sam er zelf gaten in geknipt. Aan Annabels benen zitten zwarte netpanty’s, met rood en zwart gestreepte kniekousen eroverheen. Haar nek is behangen met kettingen. Dit is Sams outfit voor morgen.
’s Avonds trekt ze Annabel altijd de kleren voor de volgende dag aan, om te kijken hoe het staat. Sam loopt er altijd heel apart bij, en iedereen op school aapt haar na. Het zou me niks verbazen als ze later een beroemd modeontwerpster werd. Alleen tekent ze jammer genoeg nooit, alleen maar op de gele briefjes. Ze heeft een soort complex dat ze het niet kan, omdat Pip er zo goed in is.
Ik vraag me af van wie dat tekentalent komt. Niet van papa in ieder geval.

Sam praat soms tegen Annabel. Ik heb een paar keer afgeluisterd. Dan vroeg ze Annabel om raad, of ze vertelde wat er op school gebeurd was. Best zielig, eigenlijk.
Opeens vind ik ons allemaal zielig, mijzelf vooral. Met kiespijn, niks te lezen, geen vrienden en broeken die niet meer passen. Maar er is één lichtpuntje. Ik voel in mijn zak. De sleutel van de winkel van oom Ranja.

Ik lig lekker warm naast Sam na te denken over wat ze zei, over soaps. Niemand spreekt de waarheid. Iedereen houdt elkaar voor de gek. Zou dat in het echte leven ook zo zijn?
Eigenlijk wel. Iedereen speelt wel een beetje toneel. Om aardig gevonden te worden, om niet uitgelachen te worden, om geaccepteerd te worden. In films en in boeken wordt alles altijd overdreven, anders is het niet spannend genoeg.
Ik denk ook na over mijn gesprek met Isabel van daarnet, over onze moeder. Papa praat er dus ook niet met haar over. Het gekke is dat alles in ons huis draait om iemand die er niet is. Iedereen mist haar, op zijn eigen manier. Ze is heel aanwezig, omdat ze zo afwezig is. Volgens mij is het niet goed dat papa niet over haar wil praten. Eerder heel slecht. Maar ja... wat kunnen we eraan doen? Niks.
Ik begin een beetje in slaap te sukkelen. Opeens schrik ik op door een gedachte. Stel je nou eens voor... De waarheid... Stel je nou eens voor dat onze moeder helemaal niet dood is! Stel je nou eens voor dat papa níét de waarheid heeft gesproken! Dat hij een groot geheim heeft... Dat er vroeger iets gebeurd is wat wij niet mogen weten. Stel je nou eens voor dat ze nog lééft! Ik ben opeens klaarwakker en mijn hart begint te bonken. Net als ik mijn mond open wil doen om het met Sam te bespreken, bijt ik op mijn lip. Niet doen. Ze gaat er vast en zeker meteen met iedereen over praten, en de boel opkloppen, dan wordt papa

kwaad en gaat Pip flippen... Nee, niet doen, ik moet er eerst rustig zelf verder over nadenken. Ik krabbel uit bed.

'Ik ga naar mijn eigen bed,' zeg ik. 'Welterusten, Sam. Ben je trouwens al ongesteld geworden?'

Sam schudt afwezig haar hoofd. Haar ogen laten de tv niet los.

'Ssst... hij gaat het haar vertellen... o nee, toch niet. Jeetje... wat rekken ze het toch lang. Dat duurt minstens weer vijf afleveringen.'

'Veel chocola eten, dat helpt,' zeg ik.

'Beer,' zegt Sam als ik de deur opendoe. 'Ik heb gezien dat er in de kelder dozen met oude kinderboeken staan. Misschien zit daar nog iets voor je bij.'

## HOOFDSTUK 11

Het is al hartstikke laat, maar ik kan weer eens niet slapen. Ik heb honger. Maar ik mág niet naar beneden, naar de keuken. Ik moet sterk zijn. Normaal lees ik me in slaap, maar ik heb echt alle boeken uit. En een boek twee keer lezen doe ik nooit, want ook al is het jaren geleden, ik onthou altijd precies hoe het verhaal gaat.

En die rare gedachte die ik net kreeg, blijft maar door mijn hoofd spoken. Misschien is onze moeder niet dood!

Stel dat ze nog leeft, waarom zou papa dan tegen ons gelogen hebben?

Misschien was ze wel een gevaarlijke misdadigster... of een moordenares... of... of een drugsverslaafde, of... een hoer! Misschien was het wel een jong meisje van vijftien die op dat cruiseschip zat, met haar rijke ouders, en papa was arm en werd verliefd op haar, net zoals in de *Titanic*. Of... misschien was ze wel geestelijk gestoord en kon ze daarom ons niet opvoeden. Misschien is ze wel knettergek en zit ze ergens in een gekkenhuis opgesloten! Of... En dan... als ze gek is... misschien hebben wij dat dan wel van haar geërfd! Help!

Ik gooi de dekens van me af en loop naar de hartjespot.

'Leeft onze moeder nog?' vraag ik hardop, met bonzend hart.

Ik pak er een uit, maar ik durf er niet op te kijken. Wel een minuut lang sta ik ermee in mijn hand geklemd. Dan knip ik mijn bureaulamp aan.

Ik spring over de stapels boeken heen en laat me op mijn bed vallen. Ik trek mijn kussen over mijn hoofd. Dat kan niet, het kan niet waar zijn! Maar de hartjes hebben altijd gelijk! Ik moet me inhouden om niet te gaan gillen. Misschien heb ik het verkeerd gezien. Ik doe mijn hand open, er staat nog steeds ja. Ik stop het snoepje in mijn mond. Deze vraag is zo belangrijk dat ik het nog een keer moet checken. Ik sta op en pak er nog een uit de pot.

Zou dat betekenen dat ik haar ga ontmoeten? Dat ik haar moet zoeken? Dat ik hallo tegen haar ga zeggen?
Ik doe de deur van mijn kamer zachtjes open en luister. Het is stil in huis. Papa is op zijn kamer en ik zie geen licht meer onder zijn deur door schijnen. Ik sluip naar beneden.
Pas als ik mijn vijfde boterham naar binnen gewerkt heb, word ik wat rustiger. Het allerlekkerste vind ik stapelen. Eerst een dikke laag boter, dan een laag hagelslag, dan weer boter en weer hagelslag. Het zijn net gebakjes. Ik moet mezelf weer rustig zien te krijgen, anders kan ik nooit slapen. Ergens anders aan denken. Mijn blik valt op een tijdschrift dat op de keukentafel

ligt. Het is een modeblad van Sam. Getver, wat zijn al die fotomodellen dun. Magere latten zijn het, je kunt hun ribben tellen en hun heupbotten steken kilometers ver uit. Ik haat dit soort tijdschriften, met al die mooie meisjes erin. Ik zal nooit zo zijn. Ik zal ook nooit een vriendje krijgen. Wie wordt er nou verliefd op een wandelende vetkwab? Ik klap het tijdschrift dicht en schuif het van me af. Nou, dit helpt ook niet echt. In plaats van twee lagen hagelslag en boter, maak ik er drie. Ik kijk op de klok. Het is al kwart over één. Ik móét gaan slapen, anders wordt het morgen niks op school. Maar ik kan niet slapen zonder eerst te lezen! Zal ik naar de kelder gaan en kijken of ik die oude boeken kan vinden waar Sam het over had? Durf ik dat wel in het donker? In ieder geval is dit een goede afleiding.
In de zak van mijn kamerjas zitten een stuk of vier plakkerige hartjes. Ik haal er een tevoorschijn.

Nou fijn, daar heb ik niks aan. Ik stop hem in mijn mond. Twee seconden later hou ik opeens op met kauwen. 'Schat' kan ook iets anders betekenen! Een schat. Misschien zijn die boeken wel een schat...
Ik raap mijn moed bij elkaar, loop naar de kelderdeur en doe hem open. Hij piept. De trap naar beneden is steil. Ik knip het licht aan en snuif de koude keldergeur op. Ik hoop maar dat er geen ratten of muizen zitten.
Voetje voor voetje loop ik naar beneden. De kelder loopt helemaal onder ons huis door. Hij staat vol lange stellingkasten met

troep. Papa bewaart hier zijn wijn en ook zijn oude manuscripten, dozen met exemplaren van zijn boeken, en archiefspullen. In een hoek ligt een berg oud speelgoed van ons, bedekt met stof en spinnenwebben. Ik zie Sams hobbelpaard, mijn poppenbedje, Pips fietsje met zijwielen, onze blokkendoos. Daarnaast een opgerold tapijt, een oude lamp, een kapotte geluidsinstallatie. En heel veel dozen. Hoe moet ik in 's hemelsnaam daar de goede tussen vinden? In de buurt van het afgedankte speelgoed, in een hoek, staan vuilniszakken, waar kleren uit puilen. Sam heeft blijkbaar haar kast opgeruimd. Naast de zakken staan drie dozen op elkaar gestapeld, de bovenste is open.
Ik schrik van een geluid en verstijf. Het kale gloeilampje dat de kelder verlicht, flikkert. Het zweet breekt me uit, hoewel ik ril van de kou. Ik ruik mezelf. Bah.
Ik loop naar de open doos toe en kijk wat erin zit.
Inderdaad, kinderboeken. Ze zijn oud en niet van ons. Ik heb ze nog nooit gezien. Ik pak er een paar uit en bekijk ze. De pagina's zijn geel en sommige kaften liggen bijna los. Ze zijn helemaal stukgelezen. *De dolle tweeling op avontuur. Blijf lachen, Irmgard. Joop ter Heul*... Het zijn meisjesboeken.
Meisjesboeken!!! Mijn hart begint als een gek te bonken.
Ik til de eerste doos op en sjouw hem naar boven.
Even later staan alle drie de dozen naast mijn bed. Ik kruip vlug onder de dekens, pak het bovenste boek uit een van de dozen en sla het open. Het ruikt stoffig en muf, naar verleden tijd. Ik moet ervan niezen. Op de titelpagina staat in verbleekte lichtblauwe vulpeninkt een naam geschreven, in een rond kinderlijk handschrift.
*Barbara van Amerongen.*
Deze boeken zijn van mijn moeder! VAN MIJN MOEDER! Ik druk het boek tegen mijn borst. De hartjes hadden weer gelijk. Ik heb een schat gevonden.

# HOOFDSTUK 12

'Beer! Het is al bijna acht uur! Heb je het eerste uur vrij? Ik ga nu naar school, hoor, en Pip is al weg!'
Sams gezicht verschijnt in de deuropening en is meteen weer verdwenen.
Ik schiet overeind. Stik! Ik heb vannacht minstens tot vier uur liggen lezen. Vandaar.
Dit is de eerste keer in mijn leven dat ik me verslapen heb. En ik moest me nog wel een half uur eerder melden. Dat is dus nu.
Ik spring uit mijn bed en begin me razendsnel aan te kleden. Oef! Die rotbroek gaat weer niet dicht. Ik geef een gil als het vel van mijn buik tussen de rits komt. De tranen springen me in de ogen. Heel voorzichtig trek ik de rits los. Ik bekijk mijn buik. Het bloedt een beetje.
Woest veeg ik de tranen uit mijn ogen. Wat moet ik nu aan? Ik ruk een stapel kleren uit de kast. Het enige wat nog past, is mijn joggingbroek, maar daarmee kan ik me niet op school vertonen. Ik plof met de broek in mijn handen neer op mijn bed. Wat moet ik doen?
Ik loop naar de hartjespot en neem er een uit.

Dat is niks. Geen prinsen voor Beer. Ik pak er nog een.

Pret. Nou, wat je pret noemt. Ik steek hem ook in mijn mond. Dan bedenk ik me. Misschien wil het hartje zeggen dat ik pret moet maken.
Dat betekent: niet naar school gaan. Heb ik vandaag iets belangrijks? Ik pak mijn agenda. Nee, geen proefwerken, geen so's. Wel weer gym.
'Moet ik spijbelen?' vraag ik aan het volgende hartje.

Ik grijns. Ik geef een zoen op het snoepje en eet het op. Met een zucht van opluchting trek ik de joggingbroek aan.

Als ik een boterham met jam naar binnen werk, begint mijn kies weer te protesteren. Ik loop naar boven om mijn tanden te poetsen. Ik moet mezelf afmelden, anders gaat de conciërge bellen. Papa slaapt nog. Hij staat meestal niet voor tien uur op. Ik loop naar zijn werkkamer toe. De kooltjes in de open haard gloeien nog. Het vuur is altijd aan, zomer en winter. Heel gezellig. Voor de open haard staan twee grote leren stoelen, met een

tafeltje ertussen. Er staat een schaakspel op en twee lege wijnglazen. Papa heeft gisterenavond met Isabel een potje gespeeld, zo te zien. Ze kunnen goed met elkaar overweg. Soms fantaseer ik erover dat ze verliefd op elkaar worden en dat Isabel bij ons komt wonen. Dat zou gezellig zijn. En fijn voor papa.
Ik aarzel, met de telefoon in mijn hand. Dan knijp ik mijn neus dicht en draai het nummer van school.
'Goedemorgen, u spreekt met de au pair van de familie Van Zwanenburgh.'
'Goedendag mevrouw.'
'Ik wilde even melden dat Berenice uit klas G2A ziek is.'
'O, wat vervelend. Is het erg?'
'Nou... redelijk erg. Maar ze gaat er niet dood aan, denk ik.'
'O, haha, u bent een grapjas, mevrouw. Ik schrijf het op. U bent zelf ook flink verkouden, hè?'
Het zweet breekt me uit. Ik hoest een paar keer hard in de hoorn.
'Ja, ik heb Beer, uh... Berenice aangestoken, vrees ik.'
'Da's niet zo mooi. Hoe was uw naam ook weer?'
Ik schraap zenuwachtig mijn keel. 'Uh... Isabel... Isabel de Jong.'
'Goed, dank u. Allebei beterschap gewenst! Dag mevrouw.'
Snel leg ik de telefoon neer. Wat een bemoeial. Pfff... ik zweet ervan. Maar ze is erin getrapt. Ik doe een klein dansje. Ha! Zo makkelijk is spijbelen dus. En nu kan ik lekker de hele dag naar de winkel!

Een half uur later doe ik de deur van mijn geheim adresje open. De bel klingelt vrolijk.
Ik voel me heel belangrijk en volwassen. Dat oom Ranja mij dit toevertrouwt! Ik moest wel een beetje aandringen. Hij was bang dat het me te veel tijd zou kosten, maar ik heb gezegd dat ik

mijn schoolboeken mee zou nemen en in de winkel mijn huiswerk ga maken. Bovendien, het is maar voor een paar dagen. Woensdag is hij alweer terug. Uiteindelijk, toen ik hem overtuigd had, was hij heel blij. Ik denk dat hij het geld goed kan gebruiken. Ik ga proberen heel veel voor hem te verdienen. Volgens mij ben ik een supergoede snoepverkoopster.
Ik leg mijn rugzak op de toonbank en doe de lichten aan. Op mijn gemak loop ik door mijn paradijsje heen. Het zal wel erg moeilijk zijn om me een beetje te beheersen.
Oom Ranja heeft gezegd dat ik mag nemen waar ik zin in heb, als beloning.
Ik moet maar aan Sam vragen of ze een paar nieuwe broeken voor me koopt. Maat XXXXXXXL. Ik laat mijn vingers over het losse snoepgoed glijden, dat in bakjes aan de zijkant van de toonbank staat. Dropsleutels, lolly's, zure matjes in allerlei kleuren, winegum krokodillen, dropjojo's, trekdrop, spekkies in allerlei vormen, kauwgumballen...
Alles, alles mag ik eten, zoveel ik wil. Hier droomde ik vroeger van. Nou, nu nog steeds, om eerlijk te zijn. Ik glimlach en denk aan de hartjes. Gaaf. Pret. Nu de prins nog. Haha.
Ik steek een roze klapkauwgum in mijn mond. Bellenblazend ga ik achter de toonbank zitten. Dan sta ik weer op. Ik moet even oefenen.
'Dag mevroi, kan ik u helpen,' zeg ik hardop tegen een denkbeeldige klant.
'Nogablaadjes? Ja, hoor, die hebben we, in drie verschillende soorten. Een handgemaakte en twee van de fabriek. Wilt u het verschil even proeven?'
Ik loop naar de glazen vitrine waarin alle onverpakte chocoladedingen liggen.
Met een tangetje en mijn pink omhoog pak ik een wit nogablaadje. Ik haal mijn kauwgum uit mijn mond en eet het chocolaatje zelf op.

'Mmm... zalig zeg!'
'Ja, deze zijn erg lekker, vindt u niet, mevroi? Subliem! Verrukkelijk! En chocola is goed voor het humeur heb ik gelezen. Een kilo? Goed mevroi, melk, puur en wit door elkaar?'
Ik proef de pure en de melknogablaadjes voor de zekerheid ook nog even, stop dan de kauwgum weer in mijn mond en loop naar de kassa. Ik tik er wat op aan, druk op de knop en de lade schiet met een luid tring! open. Oom Ranja heeft me gisteren uitgelegd hoe het werkt. Er zit best veel kleingeld in, maar geen briefjes. Weer trekt er een warm gevoel door me heen. Ik, Beer van Zwanenburgh, oftewel Zwaan van Beerenburgh, mag al dit geld beheren. En de hele winkel. Wat een eer. Oom Ranja vertrouwt mij zijn geld en zijn hele snoepvoorraad toe! Dan zie ik dat er op de kassa een briefje zit.

*Lieve Zwaan!*
*Nogmaals erg bedankt dat je dit voor oom Rachna doet.*
*Hij heeft er alle vertrouwen in dat het prima zal gaan.*
*Als je vragen hebt kun je hem bellen op dit nummer:*
*06-236 78 19 20. In het keukentje onder het aanrecht staat het kluisje.*
*Als er te veel geld in de kassa zit, mag je het daarin doen.*
*Veel succes!*
*Oom Rachna*

Ik loop naar de keuken en zet theewater op. Er staat inderdaad een rood ijzeren kistje, achter een gordijntje.
Ik loop terug naar de winkel, ga met een brede grijns weer zitten en pak mijn schoolboeken uit mijn rugzak. Geschiedenis, morgen een so, en Frans, volgende week een proefwerk. Verder gelukkig geen huiswerk. Ik heb ook een paar boeken uit de kelder meegenomen. Verlekkerd leg ik ze naast elkaar en aai

over de kaften. Vannacht heb ik een heel boek uitgelezen. Het was best ouderwets, maar ik vond het geweldig. Het idee alleen al dat mijn moeders ogen ook over al die woorden zijn heen gegaan geeft me een enorme kick.
Wat zal ik doen, eerst huiswerk of eerst lezen?
Ik loop naar de grote glazen pot met hartjes toe en haal er een uit.
'Zal ik eerst huiswerk gaan maken?' vraag ik hardop.

Haha, lezen wordt het dus. Ik blaas nog een bel en gooi de kauwgum in de vuilnisbak onder de toonbank. Dan eet ik het hartje op. De fluitketel begint te fluiten. Ik ren ernaartoe en zet thee.
Dan pak ik een bordje en loop ermee door de winkel. Twee marsepeinen aardappeltjes, twee slagroomtruffels, twee witte bonbons en twee rumbonen leg ik erop. Rumbonen heb ik nog nooit gegeten. Ik steek er een in mijn mond om te proeven. Mmm... heerlijk. Eigenlijk ben ik heel verbaasd over mijzelf. Beer, het studiebolletje, is zomaar aan het spijbelen. Maar het bevalt me goed. Dit is veel leuker dan me uitsloven om de beste punten van de klas te halen.
Ik ga er eens goed voor zitten, want dit is de heerlijkste dag van mijn leven.

# HOOFDSTUK 13

Een heleboel rumbonen later klingelt de deurbel. Ik kijk op. Het zijn drie jongens die ik nog nooit in de winkel gezien heb. Ze zijn een jaar of vijftien, zestien, schat ik. Ik ga staan en voel me opeens een beetje draaierig.

'Hallo,' zeg ik. 'Kan ik helpen?' Ik moet giechelen, zonder te weten waarom.

De jongens stoten elkaar aan en lachen overdreven hard. 'Nee, hoor moppie, we helpen onszelf wel,' zegt de langste. 'Dat kunnen we heel goed!'

Hij heeft een pet op en een paars trainingsjack aan. Er zit een piercing door zijn wenkbrauw en zijn zwarte haar is aan de zijkanten weggeschoren. Hij ziet er gemeen uit.

De kleinste van de drie loopt naar de afdeling modern snoep toe en roept: 'Hé Mo, Sven, vet man! Moet je kijken, er zijn nieuwe jawbreakers! En moet je dit zien, deze zijn ook nieuw, lolly's met een lampie erin.'

De grootste pakt een flash pop en laat het lampje branden. De andere twee volgen zijn voorbeeld, hard lachend en elkaar duwend. De kleinste, een mager bleek jongetje met pukkels en harde grijze ogen, kijkt naar me om. 'Hé, dikkertje, waar is opa Rochel eigenlijk?'

'Opa Rochel?' Ik voel me helemaal niet op mijn gemak en klem mijn boek voor mijn borst. Dikkertje? Hoe durft ie!

'Ja, waar is opa Rochel?' vraagt de lange. Hij loopt naar me toe en gaat over de toonbank hangen. Ik doe een stap achteruit.
'Uh... hij... hij is even een boodschap doen.'
'En ben jij het nieuwe winkelmeisje?'
'Ja,' zeg ik en ik hik. 'Het winkelmeisje.' Ik giechel weer.
'Winkelbiggetje, kun je beter zeggen!' De lange jongen lacht hard.
'Haha, d-dat is een g-goeie... W-winkel-b-biggetje,' stottert de jongen die Mo heet. Hij heeft een smal gezicht, kort donker krullend haar en een gouden ringetje in zijn oor.
Ik begin goed kwaad te worden, maar ik hou me in. 'Oom Ranja, eh, Rachna komt zo terug,' zeg ik.
'Nééé́é, dombie! Opa Rochel heet hij.' De kleinste jongen komt naar me toe en probeert mijn boek uit mijn handen te grissen.
'Hé jongens, moet je horen wat dit varkentje leest! *Irmgard, een meisje als jij.*' Hij barst in hoongelach uit.
'Blijf van mijn boek af!' zeg ik en ik sla zijn hand weg. Er fladdert iets op de grond. Ik buk me om het op te rapen. Het is een foto. Als ik weer overeind kom zie ik nog net dat de grootste jongen iets in zijn zak stopt. 'Hé,' zeg ik. 'Wat doe je daar?'
'Wat ik doe?' vraagt hij met half dichtgeknepen ogen. Zijn adem ruikt naar sigaretten. 'Jou een beetje treiteren, merk je dat niet?'
De twee anderen staan met een brede grijns naast hem, met hun handen in hun zakken. Ik zie dat de middelste jongen de deur in de gaten houdt. Er staat een man voor de etalage. O plies, laat hem binnenkomen. Maar hij loopt door.
'Hé, check dat! Moet je kijken!' roept de lange jongen opeens en hij wijst achter me.
'Getver!' roept de middelste. 'Een giga-spin! Wat een joekel!'
Geschrokken draai ik me om.
'Daar... daar loopt hij, tussen die potten!' gilt de middelste jongen.

Ik zie helemaal niks.
Als ik me weer omdraai zie ik net de handen van de kleinste jongen in de zakken van zijn wijde broek verdwijnen.
'Hé,' roep ik weer. 'Ik zag het wel, hoor! Geef terug!'
'Relax! Wat is er, biggetje? Waarom maak je je zo druk?'
'Wat stopte je net in je zak? Je hebt iets gejat!'
'In mijn zak?' zegt de jongen met een onschuldig gezicht. 'Wil je even voelen?'
De drie barsten in honend gelach uit.
'Geef terug, dief!' zeg ik weer.
'Nee, hoor Biggetje, wat in mijn zak zit, is van mij! Dat laat ik alleen maar aan mooie meisjes zien!' roept de jongen en hij zwaait met zijn heupen. Nog harder gelach. Nu word ik woest, en voordat ik erover na kan denken, zwaai ik met mijn boek en mep de grootste jongen keihard op zijn hoofd. Zijn pet vliegt op de grond.
Het is meteen stil. Alle drie kijken ze me verbijsterd aan. Ik ben zelf nog het meest verbaasd. Ik begin weer te giechelen, van de zenuwen dit keer.
De lange jongen wrijft met een pijnlijk gezicht over de plek waar ik hem geraakt heb.
Dan buigt hij zich met een woedend gezicht over de toonbank en grijpt me beet. 'Hé bolle, hoe durf je!'
'Au!' gil ik. 'Laat me los!'
De andere twee trekken hem weg. 'Toe Sven, laat nou maar.'
'Nee! Dat wijf heeft me geslagen! Ik laat me toch niet matten door zo'n dikke bitch!'
De deurbel klingelt weer en een lange dunne man met een kaal hoofd komt binnen. Sven laat me meteen los.
'Wat is hier aan de hand? Moeilijkheden, dame?'
Sven werpt me een dreigende blik toe. Een giechel ontsnapt me. Ik sla mijn handen voor mijn mond.

'Nee, hoor. Het gaat wel, meneer.'
Sven pakt zijn pet van de grond en zet hem op. 'Tot ziens, zussie,' zegt hij bars. 'We zien elkaar nog. Kom op, Mo, Jim, moven.'
'Dank u,' zeg ik tegen de meneer als ze weg zijn. 'U kwam net op tijd.'
'Ik ken die jongens wel,' zegt de man. 'Vervelende lui. Ze wonen hier in de buurt. Kijk er maar mee uit. Mag ik een zakje muntdrop van je?'
Als de man ook vertrokken is, sta ik verdoofd voor me uit te staren.
De snoeppotten tegenover me draaien. Wat is er toch met me aan de hand? Normaal zou ik wat ik net gedaan heb nóóit durven. Ik kijk naar de theepot. Ik kon alleen maar een doosje Indiase thee vinden, met onleesbaar opschrift. Zou er iets raars in zitten? Ik sta op en wankel. Dan loop ik naar de deur en kijk door het raam. De drie staan een eindje verderop tegen een auto geleund te lachen en te roken. De grootste stopt iets in zijn mond en de andere twee kauwen ook.
Gauw draai ik de deur op slot.

# HOOFDSTUK 14

Wiebelig loop ik om de toonbank heen en plof neer op de stoel. Dit was niet leuk. De deur doe ik niet meer open voordat ze weg zijn.
Ik ben misselijk. Dan valt mijn blik op de foto die half onder mijn boek ligt. Ik pak hem op. Hij is vergeeld en gekreukt.
Ik bekijk hem van dichtbij. Er staat een jonge vrouw op. Ze zit op de rand van een fontein, in een witte jurk. Ze is knap, een beetje mollig, met bruin krullend haar in een paardenstaart, en ze lacht vrolijk, met haar hoofd een beetje schuin en kuiltjes in haar wangen. Ik kijk achterop. *Rome, 14 juli 1984* staat erop, in een handschrift dat me bekend voorkomt. Verder niks. Van wie zou de foto zijn? Van oom Ranja?
Ik schud mijn hoofd. Het lukt me niet goed om helder na te denken. De foto kan niet van oom Ranja zijn, want hij viel uit mijn boek. Er wordt op het raam van de deur geklopt. Ik schrik op. Er staat een mevrouw met een buggy voor het raam. Ze tuurt met een vragend gezicht naar binnen.
Gauw loop ik naar de deur, onderweg struikelend over een mand met spekkies.
'Hallo, is de winkel gesloten?' vraagt de mevrouw als ik met moeite de deur opengemaakt heb.
Ik hik nogal luid. 'O, pardon,' zeg ik giechelend en ik sla mijn hand voor mijn mond. Er komt ook een rumbonenboer achter-

aan. 'Nee, hoor, we zijn gewoon open. De deur was alleen even dicht.'
'Is meneer Rachna er niet?'
Ik schud van nee. De stopflessen met snoep schudden akelig raar mee.
'Lolly, lolly!' schreeuwt het kind in de buggy en ze steekt haar handjes naar me uit.
'Nee Sofietje, geen lolly.' Ze kijkt me onderzoekend aan en glimlacht. Ik zie dat ze haar neus bijna onmerkbaar optrekt. Stink ik zo naar zweet? Gauw trek ik me terug achter de toonbank.
'Lolly! Fietje lolly!'
De mevrouw kijkt me verontschuldigend aan. 'Meneer Rachna geeft haar altijd een lolly, maar dat probeer ik hem af te leren. Het is slecht voor Sofietjes tandjes.'
Ik knik en grijp me vast aan de toonbank. De winkel draait.
'Gaat het wel, meisje?' vraagt de mevrouw bezorgd.
'Ja, hoor,' zeg ik. 'Prima, mevroi. Wilt u nogablaadjes? Een kilo, puur, melk en wit? Subliem, verrukkelijk zijn ze!'
'Nogablaadjes?' De mevrouw lacht. 'Waarom, zijn die in de aanbieding?' Ze kijkt naar het schoolbord dat naast de deur staat. Er staat niks op, alleen de lachende zuurstok. Het woord 'gesloten' heeft oom Ranja weer weggeveegd. Ik zie het nog vaagjes staan.
'Uhm... Nee... Ja...' Ik weet opeens niet meer wat ik net zei. Ik kijk weer naar de theepot. 'Lolly, Fietje lolly,' gilt het akelige kind.
'Nee Sofie, geen lolly.'
De kleine zet het op een krijsen en loopt vuurrood aan.
'Nou vooruit, dan toch maar,' zegt de mevrouw hoofdschuddend.
'Probeert u deze eens,' zeg ik. Ik scheur het zakje van een thumb-sucker toe. 'Dit is een lolly in de vorm van een duim.

Kijk, hij is hol van binnen, daar kan die schreeuwlelijk, oeps… uh, daar kan Sofietje haar duimpje in steken. Dan maakt ze tenminste niet meer zo'n klereherrie.' Ik buk me en stop het ding in de uitgestrekte hand van het verwende monster.
De mevrouw kijkt me bevreemd aan. 'Wanneer zei je dat meneer Rachna terugkwam, meisje?'
'Ooo… ergens volgende week. Hij ligt in het ziekenhuis en ik ben nu het winkelbiggetje… nee, sorry, de winkel… dame.' Ik grijns en stop nog een rumboon in mijn mond.

Ik schrik wakker. Het is niet te geloven, ik heb geslapen! Met mijn hoofd op mijn boek, op de toonbank. Ik heb barstende koppijn en een vieze smaak in mijn mond. In de keuken drink ik een paar slokken water uit de kraan. Ik kijk op de klok die boven de winkeldeur hangt. Het is al vier uur. Er zijn lang geen klanten geweest. Ik hik en drink nog meer water. Dan haal ik de theepot en kiep hem leeg in de gootsteen. Volgens mij zit er een bedwelmend middel in en voel ik me daardoor zo vreemd. Die oom Ranja, stiekem aan de drugs!
De deurbel klingelt. O jee, als het die griezels maar niet weer zijn. Ik ren terug naar de winkel. Gelukkig, het zijn twee jongetjes die ik goed ken. Ze zijn al binnen.
'Hé Zwaan,' roepen ze uitgelaten. 'Kijk eens wat we op straat gevonden hebben? Een euro! We willen een heleboel snoepjes!'

De rest van de middag is het druk. Ik heb geen tijd meer om te lezen of om huiswerk te maken. Om zes uur doe ik moe, en nog steeds met een bonkend hoofd, de deur op slot.
Ik loop naar de kassa en doe hem open. Jeetje, wat zit er veel geld in. Drie briefjes van tien, zes van vijf en een van twintig. Tachtig euro! En ook veel meer kleingeld dan vanmorgen. Wat zal om Ranja blij zijn.

Ik loop met de briefjes naar de keuken en stop ze in het kistje. Het sleuteltje doe ik in het blikje met suikerklontjes.
Nu moet ik snel naar huis toe, anders ben ik te laat voor het eten. Ik stop de boeken terug in mijn rugzak. Dan valt mijn blik op de foto. Die was ik helemaal vergeten. Ik bestudeer hem nog een keer. Ze doet me aan iemand denken. De manier waarop ze lacht komt me bekend voor.
Opeens versteen ik. Mijn hoofd is nu weer helder, maar het bonken neemt toe. Ik weet opeens op wie ze lijkt.

# HOOFDSTUK 15

'Nee, ik hoef niet te eten. Ik ga naar bed, ik voel me niet lekker.'
Ik wil zo snel mogelijk naar boven. Misschien zitten er nog meer foto's in de boeken.
'Wat heb je dan?' vraagt papa bezorgd. Hij staat met een schort om in een pan te roeren. 'Ben je ziek, Beer?'
'Misselijk,' zeg ik. 'En ik heb barstende koppijn.'
'Hoe komt het? Heb je iets verkeerds gegeten?'
'Of gewoon te véél gegeten?' vraagt Sam terwijl ze opkijkt uit haar tijdschrift. Pip zit ook aan de keukentafel, te tekenen.
Sam wijst naar de deur. 'Je doet het zeker omdat je vandaag de opruimbeurt hebt, hè?'
Ik kijk naar het schoolbord. Pip heeft er weer gekke figuurtjes bij getekend.
'Pip, lach eens,' zeg ik.
Pip kijkt verbaasd op. Hij heeft nog steeds zijn rugzak om.
'Waarom?'
'Gewoon, lach eens.'
'Nee,' zegt Pip nors. 'Doe niet zo dom. Ik lach niet op commando.'
Papa komt dichterbij en snuft.
'Je ruikt een beetje vreemd, Beer.'
Ik doe een stap achteruit en kijk of er onder mijn oksels plekken in mijn T-shirt zitten.
'Ben je zo naar school geweest?' vraagt Sam en ze wijst naar mijn joggingbroek.

‘Bemoei je met jezelf,’ zeg ik en ik loop door naar de gang.
Papa houdt me tegen, pakt me bij mijn schouders en ruikt aan mijn mond. ‘Beer, heb je soms gedronken?’
‘Wat?’ Ik trek me los. ‘Gedronken, hoe bedoel je?’
‘Alcohol, bedoel ik, jongedame. Je ruikt naar alcohol.’
Ik begin te giechelen. Aha, dus dat was het waardoor ik me zo raar voelde. En dat was dus wat die dame in de winkel rook!
‘Wat?’ vraagt Pip. ‘Ben je naar de kroeg geweest?’
Ze kijken me nu alle drie nieuwsgierig aan.
Ik proest het uit van het lachen. ‘Ik heb rumbonen gegeten. Ik wist niet dat daar echte rum in zat.’
‘Wel dus,’ zegt papa.
‘Haha, Beer is dronken, Beer is dronken!’ roept Pip lachend.
Ik kijk hem met grote ogen aan. Ja. Ik weet het nu zeker. Ik weet wie de vrouw op de foto is.

Ik ren naar boven en kiep mijn rugzak om. Ik haal de foto uit *Irmgard, een meisje als jij* en bekijk hem met bonzend hart. Mijn moeder. Dit is mijn moeder! Ik druk hem tegen mijn borst en dans ermee door de kamer. Algauw moet ik ermee stoppen door de steken in mijn hoofd. Dan ren ik naar de dozen die naast mijn bed staan. Ik haal alle boeken uit de bovenste en leg ze op mijn bed. De trap kraakt. Er komt iemand naar boven. Ik hol naar de deur en draai hem snel op slot.
Er wordt geklopt en de deurklink gaat omlaag.
‘Beer, weet je zeker dat je niks wilt eten? Kan ik iets voor je doen?’
Het is papa. Zijn stem klinkt ongerust. Hij mag de foto absoluut niet zien. Ik weet niet wat hij zou doen als hij zou ontdekken dat ik hem gevonden heb. Waarschijnlijk zou hij hem afpakken en loeikwaad worden. Of hem in zijn open haard gooien en verbranden. Of weer een superdepressie krijgen.

'Nee, hoor, je kunt niks doen,' zeg ik met een zielig stemmetje. 'Ik lig al in bed.'
Ik hoor mijn vader opgelucht lachen aan de andere kant van de deur. 'Dat is heel verstandig. Slaap je roes maar uit, ouwe zuiplap! En geen rumbonen meer in het vervolg, hoor!'
'Nee pap.'
'Hoe was het eigenlijk op atletiek, Beer?'
'Atletiek?' Oef, o ja. Helemaal vergeten.
'Leuk. Hartstikke leuk. Er was iemand jarig en die trakteerde op rumbonen. Vandaar.'
'Aha. Origineel. Zeg Beer, ik was van plan vanavond naar de bioscoop te gaan.'
'Naar de bioscoop?' herhaal ik verbaasd. Mijn vader gaat nooit uit. Dit is iets nieuws.
'Ja, met Isabel.'
'Ooo... wat leuk!'
Dit is echt een wereldwonder. En het komt me eigenlijk prima uit.
'Maar ik twijfel, omdat jij niet lekker bent. Red je je wel, of heb je liever dat ik thuisblijf?'
'Nee nee, het gaat best. Ga maar. Echt.'
'Goed. Slaap lekker, lieverd. Sterkte ermee. Heb je een emmer nodig?'
'Waarvoor?'
'Voor als je moet overgeven.'
'Nee,' zeg ik. 'Ik hoef niet te kotsen. Het is helemaal niet zo erg.'
'Goed dan, dag Beertje.'
'Dag pap, veel plezier.'

In de eerste doos zitten minstens dertig boeken. Ik schud ze één voor één uit. Heel zorgvuldig blader ik ze ook nog een keer na. Ik moet niezen van het stof. In de boeken van de eerste doos zit

niks, in die van de tweede ook niet. In de derde doos zitten geen meisjesboeken, maar kinderboeken. Sprookjesboeken, prentenboeken en kartonboekjes.
Er zitten geen foto's in. Ik ben heel teleurgesteld. Onder in de doos ligt nog één dik boek. *De reisavonturen van Jeroen* staat erop. De omslag is versleten en vies. Ik keer het om en schud ermee. Hé, dat is raar. Het gaat niet open. De kaft zit aan de bladzijden vastgeplakt.
Ik bekijk het boek van alle kanten. Er zitten lijmsporen aan de zijkanten.
Met klamme handen van opwinding pulk ik aan de kaft, maar ik krijg hem niet open. Uit de la van mijn bureau pak ik een schaar.

Even later zit ik op mijn bed, met het boek op mijn schoot. Ik voel me raar in mijn maag, maar dat is vast van de spanning. Ik ben zo opgewonden. Ik heb de kaft losgekregen.
De pagina's van het boek zijn aan elkaar gelijmd en er is een rechthoekig gat uitgesneden. De ruimte is gevuld met foto's. Ik heb gevonden wat ik zocht.
Eindelijk. Eindelijk ga ik het geheim oplossen.

# HOOFDSTUK 16

Als ik de eerste foto oppak, overvalt me opeens een golf van misselijkheid.
Ik druk mijn hand tegen mijn mond, ren naar de deur en frunnik met de sleutel. Ik moet kokhalzen. De deur gaat open en ik hol naar de badkamer. Ik haal de wc maar net.
'Getver Beer, wat doe jij nou?' vraagt Sam, die van haar kamer komt.
'Zie je dat niet? Ik zit hier gezellig te... booeewlaaaaaah...' Er spuit weer een straal overgeefsel uit mijn mond. Ik klamp me vast aan de wc-bril. O, wat is dit smerig. Het overgeefsel heeft vreemde kleuren en er zitten hele stukken Engelse drop in. Bah, wat ben ik een gulzigaard. Ik walg van mezelf.
'Jasses,' zegt Sam en ze wijst naar mijn T-shirt. 'Je zit helemaal onder.'
Ik hik en er komt nog een golf. De tranen lopen over mijn wangen.
Sam maakt een handdoek nat. 'Hier, veeg je gezicht maar af. Ben je nu klaar?'
Ik ga op de grond zitten en druk de handdoek tegen mijn gezicht aan. 'Ik denk het wel.'
Sam trekt de wc door. 'Jakkie Beer, wat heb je in 's hemelsnaam allemaal gegeten? Heb je de kantine bij het atletiekveld geplunderd of zo?'

Ik sta op en plens water in mijn gezicht. Mijn benen bibberen, maar de misselijkheid trekt gelukkig weg.
'Zal ik even een schoon T-shirt voor je pakken?' Sam loopt naar de gang toe.
'Nee, nee... niet doen! Stop!'
Sam mag de foto's niet zien. Ze zijn van mij. Mijn geheim. Ze zou het meteen tegen iedereen vertellen. Met alle gevolgen van dien.
Verbaasd komt Sam terug naar de badkamer. 'Waarom niet? Je zit helemaal onder de kots!'
'Ik... ik heb geen schone T-shirts meer. Mag ik er een van jou lenen? Eentje die ik pas?'
'Oké... Ik zal wel even kijken.'
Stik... als ze nu mijn kamer binnen gaat... Papa is er gelukkig niet, maar Pip wel. Pip mag het ook niet zien. Hij zou er helemaal van doordraaien. En dan komt papa het natuurlijk ook te weten.
Ik trek mijn T-shirt uit, gooi het in het bad en loop in mijn bh Sam achterna, naar haar kamer toe.
'Hier, deze past je wel, denk ik.' Ze geeft me een knalroze T-shirt. *Real bitch* staat erop, in witte letters met glitters.
Ik trek het aan. Het zit nogal strak. Ik plof neer op Sams bed.
'Is er nog een leuke soap of zo?'
'Ben je al weer beter dan?'
Ik knik.
Sam gaat naast me zitten. 'Ik weet iets veel beters,' zegt ze op samenzweerderige toon.
'Wat dan?'
'We gaan kijken wat er in Pips rugzak zit!'
'Waarom? Laat hem toch met rust.'
'Nee, juist niet! Wist je dat de school vandaag gebeld heeft?'
'Nee, waarom?'

'De conrector heeft papa gebeld, om te zeggen dat er problemen op school waren geweest. Pip wilde in de klas zijn rugzak omhouden en toen is hij eruit gezet. Hij moest naar de conrector, maar daar weigerde hij hem ook af te doen. En toen hebben ze hem naar huis gestuurd. Papa moet maandag naar school komen om te praten.'
'Jeetje. Ik snap er niks van...'
'Nee, ik ook niet. Daarom moeten we het te weten komen. Misschien kunnen we hem ergens mee helpen.'
'Sam! Hij wil niet meer geholpen worden door ons, snap je dat nou nog steeds niet?'
'Ja, maar... het is toch niet normáál, Beer? Soms lijkt het net alsof er een steekje aan hem loszit.'
Ik moet opeens weer denken aan mijn gekke-moedertheorie.
'Ach Sam, jij overdrijft altijd zo.'
'Ja, en jou kan niks ook maar iets schelen. Behalve je boeken, je snoep en je tienen op school.'
'Dat is niet waar.'
'Wel waar.'
Ik zucht. 'Laat Pip nou met rust, Sam. Wat wou je doen, hem overmeesteren en met geweld die rugzak afrukken?'
'Nee, we gaan gewoon er even naar kijken, als hij slaapt. Hij zal er toch niet mee in bed liggen?'
'En als hij het merkt? Je weet hoe Pip is, dan gaat hij helemaal flippen.'
'Hij merkt het niet.'
'Dat zeg jij. Je laat het uit je hoofd, Sam. Je bent een bemoeial.'
'En jij bent een egoïstische snoepkont.'
Ik geef Sam een duw. 'Opgedirkte tuthola!'
Ze geeft me een duw terug. 'Stank voor dank, zeg! Ga van mijn kamer af! En geef mijn T-shirt terug.'
Ik ruk het T-shirt weer uit. 'Hier heb je het, real bitch, zeg dat

wel!' Ik smijt het op de grond neer en met mijn armen om mijn vetribbels heen geslagen stamp ik de kamer uit.

Jeetje, wat maken we veel ruzie. De hele tijd, en meestal om niks. Sam is ook zo licht ontvlambaar. Zal wel komen omdat ze ongesteld moet worden. Of door de puberteit.
Ik doe de deur op slot, trek mijn pyjama aan en kruip in bed. Met het boek met foto's en een zak snoep die ik uit de winkel heb meegenomen. Ik ben echt erg, ik weet het, maar nu ik alles uitgespuugd heb, heb ik weer honger. En ik heb het nodig, voor de zenuwen.
Er zit een heerlijk mengsel in de zak. Kaneelhompen, zomermelange, toffees, karamels, kersenbonbons en winegums.
Ik kies een kersenbonbon. Voorzichtig wikkel ik het rode papiertje eraf en strijk het glad. Vroeger bewaarde ik alle mooie snoeppapiertjes en die plakte ik in mijn snoepdagboek. Als ik dan niks te snoepen had, ging ik daar verlekkerd in zitten bladeren.
Ik steek de bonbon in mijn mond, doe het boek open en pak de eerste foto.
Dan geef ik een keiharde gil.

# HOOFDSTUK 17

'Au, auuuuu!' kerm ik. 'Auuuuuuu!'
Sam bonst op de deur. 'Beer, wat is er?'
Ik spuug de inhoud van mijn mond in mijn hand. 'Auuuuu,' gil ik weer en ik vloek.
Een vlammende drilboor knettert door mijn kies heen. Of beter gezegd, door wat er van mijn kies over is. In mijn hand, tussen de fijngekauwde slijmerige chocola, ligt iets wits. En een kersenpit.
Ik klap het boek met de foto's dicht en kruip kreunend uit bed.
'Beer, doe open! Wat is er aan de hand? Moet je weer kotsen?'
Ik doe de deur van het slot en probeer Sam tegen te houden. Maar ze is al binnen. Haar ogen schieten van de dozen en de boeken naar mij.
'Wat heb je?'
'Kies eruit.'
'Wát?'
Ik loop naar de badkamer in de hoop dat Sam me zal volgen. De pijn is bijna ondraaglijk. Ze komt me inderdaad achterna.
'Auuuuu!' snik ik. 'Shit, wat doet dit zeer!' Ik spoel mijn hand schoon en mijn mond ook. Auuu! Nog meer pijnscheuten.
'Laat eens kijken,' zegt Sam.
Ik sper mijn mond open.
'Daarachter?'
Ik knik.

'Hij is er niet uit, hoor. Er is een stuk af. Waarschijnlijk is je vulling afgebroken.
'Au!' roep ik stampvoetend.
'Ssst, anders maak je Pip wakker.'
'Au! Au!' roep ik weer. 'Kan mij dat nou schelen! Wat moet ik nu doen? Het doet vreselijk gruwelijk afgrijselijk pijn!'
'Spoel je mond nog eens,' zegt Sam. 'En dan zachtjes poetsen met tandpasta, dan gaat de chocola uit het gat en misschien gaat de pijn dan ook weg.'
Heel voorzichtig doe ik het. De pijn wordt inderdaad ietsjes minder, maar is nog steeds heel erg.
Sam rommelt intussen in het medicijnkastje. 'Hier, twee paracetamollen.'
'Twee?'
'Ja, dat mag. Het staat op de bijsluiter. Bij koorts, hoofdpijn en kiespijn. Wacht even, ik haal een glas.'
Als Sam naar beneden rent, hol ik terug naar mijn kamer, leg het boek met de foto's onder mijn dekbed en ren weer terug naar de badkamer. Net op tijd.
Sam laat het glas vollopen en lost de tabletten erin op.
'Hier, neus dichtknijpen en helemaal opdrinken,' zegt ze. Sam is erg goed in moederen. Als andere mensen in nood zijn, is zij op haar best.
Ik giet het vieze spul achterover. Dan voel ik met mijn tong aan mijn kies. 'Getver, er is een enorm stuk af. En het is scherp. Auuuu!'
'Je zult naar de tandarts moeten, Beer.'
'Ja, dat snap ik ook wel. Balen. Hoe lang duurt het eer dat spul werkt?'
'Een kwartier, denk ik. Zal ik even bij je komen zitten? Je hebt die boeken in de kelder gevonden, hè?'
'Nee, ik kom wel bij jou. Misschien leidt televisiekijken af.'
Ik kruip in Sams bed, met mijn hand tegen mijn wang gedrukt.

Sam gooit een paar tijdschriften en kussens op de grond en wurmt zich naast me.
'Hoe kwam dat nou? Probeerde je een boek op te eten of zo?'
Ik giechel, ondanks de pijn. 'Nee, natuurlijk niet, gek. Een kersenbonbon. Er zat een pit in dat rotding.'
'Jeetje Beer, zat je alweer te snoepen? En je had net overgegeven!'
'Ja, zeg nou maar niks, ik weet het wel.'
'Goed, ik zeg niks.'
We kijken een poosje naar de televisie. Het is een quiz. Dat vind ik nog wel leuk. Ik weet altijd alle antwoorden.
De pijn zakt langzaam weg. En ik ook.
'Beer!'
Sam port me in mijn zij. Ik schrik wakker.
'Beer, je slaapt toch niet, hè?'
'Nee, dat zie je toch.'
'Beer, ga je mee naar Pips kamer? Het is half één, hij slaapt nu vast wel.'
'Ik zei toch dat ik dat niet wilde!'
'Maar ik wel. Ben jij niet nieuwsgierig naar wat er in zijn rugzak zit?'
'Nee,' zeg ik.
'Wel,' zegt Sam, 'je liegt.'
'Oké, ik lieg, ik ben wel nieuwsgierig, maar als hij het merkt, krijgen we enorme heibel.'
'Ha, je zei: we.'
'Nee, ik bedoelde: je.'
Sam klikt de tv uit. 'Wat denk jíj dat erin zit, Beer?'
'Ik weet niet... Geen flauw idee.'
'Misschien seksblaadjes?' Sams ogen glinsteren.
'Doe niet zo idioot, mafkees. Daar is hij nog veel te jong voor.'
'Pfff, hij is ook bijna veertien, hoor.'
'En waarom zou hij met die blaadjes rondsjouwen?'

'Omdat hij bang is dat wij ze vinden.'
'Dat jíj ze vindt, mevrouw de sneaky bemoeial die overal altijd rondneust.'
Sam doet net alsof ze me niet hoort. 'Offe... drugs! Misschien is hij wel aan de drugs en doet hij daarom zo raar de laatste tijd!'
'Ja, hoor, hij dealt en hij loopt met een paar kilo cocaïne rond.'
Maar ik ga wel rechtop zitten en kijk Sam ongerust aan. 'Denk je? Zou Pip aan de drugs zijn?'
'Het kan. Ik heb er pas iets over op tv gezien. Op het schoolplein stonden er laatst ook jongens uit de vijfde te blowen.'
'Pip zit nog in de brugklas, hoor. Nee, geen drugs. Dat is niks voor hem.'
'Maar wat dan?' Sam bijt op haar nagels. Ze zijn om en om lichtpaars en groen vandaag. Ze is ook vergeten haar make-up eraf te halen. Dan gebeurt wel vaker en dan ziet ze er 's ochtends uit als het monster van Frankenstein.
'Er moet iets in zitten waarvan hij niet wil dat iemand het ziet of eraan komt,' denk ik hardop.
'Een... uuuh... een geheim huisdier, een wurgslang!'
'Getver, idioot. Jij hebt echt een rare fantasie, hoor. Je kijkt te veel tv.'
'En jij leest te veel. Maar nou even serieus. We moeten echt gaan kijken, Beer.'
Terwijl ik nadenk, laat ik mijn tong over de afgebroken kies glijden. Bah, wat voelt dat naar.
'Wacht even,' zeg ik. Ik spring uit bed en ren naar mijn kamer.
'Moeten we onderzoeken wat er in Pips rugzak zit?' fluister ik tegen de hartjespot.
Ik graai erin en pak er een snoepje uit.

## HOOFDSTUK 18

We staan voor Pips deur. Ik bibber van de kou en mijn kies klopt dof.
'We moeten de deur heel langzaam opendoen,' fluistert Sam. 'Dan merkt hij het niet.'
'Oké,' zeg ik, 'maar het is donker in zijn kamer, hoe moeten we die rugzak vinden?'
Sam haalt een zaklamp uit de zak van het trainingsjack dat ze over haar nachtjapon heeft aangetrokken. 'Detective Samantha denkt aan alles!' fluistert ze.
Heel langzaam drukt ze de klink naar beneden en duwt de deur voorzichtig open.
De deur piept. Ik hou mijn adem in. De kamer is donker, op een nachtlampje na, dat in het Bos verwerkt zit.
Pips bed staat vandaag op de scheidslijn van het Boze Bos en het Blije Bos. Hij verzet zijn bed regelmatig. Als hij een slecht humeur heeft of zich rot voelt, staat het voor het Boze Bos, als hij zich goed voelt, staat het voor het Blije Bos.
Pips bos is een muurschildering, die de hele muur van zijn kamer bestrijkt. In totaal is het wel zes meter lang. Het bos bedekt de muur van boven tot onder, van links naar rechts. Er is een eng donker gedeelte, waar het winter is, dat noemen Sam en ik dus het Boze Bos. Het zit vol met nachtmerrieachtige figuren, spoken en monsters. Sommige lijken op mensen die we kennen.

Een halfvergaan lijk, waar de wormen en zwarte vette torren uit kruipen, is bijvoorbeeld net Lludmilla, een ex-au pair. Ze sloeg Pip en ze was heel onaardig en streng. Dit is zijn manier van wraak nemen. In het Boze Bos zit ook een leraar van zijn basisschool. Pip had een enorme hekel aan hem, want hij werd heel vaak door hem gekleineerd. Hij heeft hem geschilderd als een spook met een houten kruis door zijn lijf geslagen, vastgenageld aan een boom. Nogal gruwelijk.
Hij heeft Sam en mij ook geschilderd. Met zijn drieën dansen we op een open plek in het maanlicht, heel mooi en romantisch. En ook op een andere plek, in het midden van het Blije Bos bij een meertje, waarin twee zwanen drijven. Papa en Isabel staan ieder aan een andere kant ervan. Het Zwanenmeer, maar dan anders. Mijn vader komt nog een keer voor, maar dan in het donkere gedeelte.
Pips bos is eigenlijk één groot stripverhaal, waarin zijn leven beschreven staat. Alles wat hij denkt en voelt, zit op de een of andere manier in zijn bos verwerkt. Zijn angsten, zijn fantasieën en zijn dromen. Hij is echt heel goed.

De deur is nu zo ver open dat we naar binnen kunnen. Pips gordijnen zijn open en er valt maanlicht naar binnen.
'Doe je zaklamp maar niet aan,' sis ik, 'we zien genoeg zo. Waar zou de rugzak liggen?'
Sam stapt de kamer als eerste binnen. Opeens vliegt er iets zwarts en iets harigs op ons af, en nog één en nog één. Ik spring net op tijd achteruit. Sam, die voor me staat, niet.
'Ieeeek!' gilt Sam en ze slaat de dingen van zich af. Ik geef ook een harde gil.
'Spinnen, het zijn enorme spinnen!' gilt Sam.
Ik ren de gang weer op.
'Heeeelp, help Beer! Kom terug! Er zit er een vast in mijn haar!' schreeuwt Sam.

'Haha! Heb ik jullie even te pakken!' Pip zit schaterend van het lachen rechtop in zijn bed, met zijn rugzak tegen zijn buik geklemd. Ik doe het licht van zijn kamer aan.
'Beer, help me nou,' gilt Sam. Pip klapt dubbel van het lachen. Ik loop naar Sam toe. Er zit een enorme zwarte vogelspin in haar haren verward. Maar hij is niet echt. In het licht zie ik het meteen. Hoewel het wel een goeie nepperd is. Er zit een bijna onzichtbaar nylondraadje aan vast.
'Sam, Sam, rustig, hij is niet echt,' roep ik tegen mijn woest trappelende zus.
'Pip! Rotzak! Flauwerik!' gilt Sam.
Pip springt uit zijn bed. 'Ha! Wie is hier flauw? Ik wíst gewoon dat jullie zouden komen. Stelletje bemoeizuchtige heksen! Ha! Heb ik jullie tuk! Mijn anti-zussenval heeft gewerkt!'
Voor me bengelen nog drie nepspinnen. Ik zie dat hun touwtjes naar de balken aan het plafond gaan en vandaar naar de deur. Pip is heel handig in knutselen.
'Maak dat smerige ding los,' roept Sam boos. Ik help haar.
'Zo zussies, wat kwamen jullie eigenlijk doen?' vraagt Pip met een onschuldig gezicht.
'Jou een nachtzoen geven, nou goed!' brult Sam woedend. 'Je weet best hoe bang ik voor spinnen ben, ik had wel een hartaanval kunnen krijgen, rotzak!'
'Haha,' lacht Pip. 'Daarom juist! Net goed! En nu wegwezen! Voortaan doe ik ook 's nachts mijn deur op slot!'
'Stik,' zegt Sam als we terug op onze verdieping zijn. 'Nou kunnen we het wel vergeten.'
'Ja,' zeg ik. 'Dit was niet slim van ons.' Ik denk aan het hartje. Het enige wat eraan klopte, is dat ik vlug naar achteren sprong en daardoor niks in mijn haar of tegen mijn gezicht aan kreeg.
'Sssjt, ik hoor iets,' sist Sam. 'Ik geloof dat papa thuiskomt. Die wordt loeikwaad als hij hoort dat we hier nog aan het rotzooien zijn.'

Vroeger vond papa het niet erg als we laat rondspookten, maar na zijn operatie is hij veel strenger geworden en let hij meer op ons.
'Isabel is er ook nog!' fluistert Sam. Er klinkt onderdrukt gelach van beneden. We sluipen naar de trap en gluren omlaag, naar de grote hal waar de voordeur is.
Papa en Isabel staan in de deuropening. Isabel kijkt naar hem omhoog en zegt iets wat ik niet kan verstaan en ze pakt papa's handen. Ik zie van hieruit dat hij een rood hoofd krijgt.
Dan buigt Isabel zich naar hem toe en geeft hem een zoen op zijn wang. 'Welterusten Walt, het was een heerlijke avond,' zegt ze.
Mijn vader knikt verlegen. Isabel kijkt mijn vader aan, alsof ze ergens op wacht.
'Kus haar dan, kus haar dan terug,' sis ik zachtjes. Sam geeft me een duw.
We buigen ons allebei naar voren om het beter te kunnen zien. Ik kukel bijna naar beneden, maar Sam kan me nog net tegenhouden.
Mijn vader zegt: 'Dat vond ik ook, Isabel. Dankjewel.'
Maar hij doet niks, de sufferd.
Isabel glimlacht, draait zich om en loopt het tuinpad af. Mijn vader zwaait en kijkt haar een hele tijd na. Dan zakt zijn hoofd naar beneden en in gedachten verzonken blijft hij in de deuropening staan.
Ik trek Sam mee naar mijn kamer. Ze stribbelt tegen.
'Kom nou, gek...' sis ik. 'Dadelijk ziet hij ons! Je weet hoe streng hij tegenwoordig let op onze bedtijd.'
Zachtjes doe ik de deur achter me dicht.
'Jeetje,' fluistert Sam. 'Zag je dat? Zou Isabel verliefd zijn op papa?'
Ik haal mijn schouders op. 'Hij deed niks terug.'
'Nee.'

'Zou jij het leuk vinden als ze een relatie kregen?' vraag ik.
Sam haalt haar schouders op. 'Ik weet het niet. Jij?'
'Ik zou het prima vinden. Ik vind haar aardig. Ze helpt ons met van alles. En ze is niet opdringerig of zo. Misschien wordt papa dan weer gelukkig en dan gaat hij misschien ook weer schrijven.'
'Ik weet het niet,' zegt Sam en ze pulkt aan een velletje bij haar nagel. 'Dadelijk gaat het toch weer om zijn geld en zijn beroemdheid.'
'Zo is zij niet.'
'Dat weet je niet, Beer. Je bent al die slinkse au pairs die we gehad hebben toch niet vergeten? Herinner je je Jessica nog, die ons op kostschool wilde stoppen? En Lludmilla?'
'Isabel is echt anders. Hoe lang kennen we haar nu al? Meer dan een half jaar? Nou, dan had ze toch allang actie kunnen ondernemen. Heb jij iets gemerkt?'
'Nee. Dat niet. Maar... maar ze is te jong.'
'Valt toch wel mee? Tien jaar jonger dan papa. Beter dan een oude tang met een klapperend kunstgebit.'
Sam grinnikt. Ze veegt een paar boeken van mijn bed en ploft erop neer. Ik ga gauw naast de bult van het boek met de foto's zitten en leg onopvallend mijn hand erop.
'Jeetje...' zegt Sam weer. Ze staart nogal zombieachtig voor zich uit. Dan drukt ze haar hand tegen haar onderbuik. 'Au. Ik heb weer kramp in mijn buik.'
De trap kraakt. 'Hij komt naar boven,' sis ik. 'Je deur staat nog open, Sam! Hij kijkt vast of je al slaapt. Kruip in mijn bed! Vlug!'
Ik schiet ook als een speer onder het dekbed en trek snel aan het koordje naast mijn bed het licht uit.
Papa's voetstappen klinken op de gang en Sams deur piept. Nu ziet hij dat ze niet in haar bed ligt. Dan gaan de voetstappen naar de badkamer, waar het licht nog aan is. Het is even stil. Dan komen ze naar mijn kamer toe. We knijpen allebei onze ogen

dicht. Meteen sper ik ze weer open. De boeken! Die mag hij niet zien. Ik spring razendsnel uit bed, ren naar mijn deur, ruk hem open en bots tegen papa op.
'Oef! Beer... wat is er aan de hand? Waar is Sam?'
'Bij mij in bed... ik... pap... ikke...' Ik klamp mijn hand tegen mijn kaak. 'Pap, moet je eens kijken!'
Ik trek hem mee naar de badkamer, doe het licht weer aan en sper mijn mond open.
Papa tuurt erin. 'Wat is er? Ik zie niks.'
'Daar achterin. Er is een stuk van mijn kies afgebroken! Het doet ontzettend zeer. Sam is bij me komen liggen omdat ik niet kon slapen van de pijn.'
Mijn vader kijkt nog een keer en voelt voorzichtig met zijn vinger.
'Jeetje, Beer. Daar is inderdaad iets afgebroken. Je snoept ook veel te veel. Je moet naar de tandarts. Nu ik erover denk... daar zijn we al heel lang niet meer geweest. Ik zal voor ons allemaal een afspraak maken. Wil je een paracetamol?'
'Heb ik al gehad, van Sam.'
'Oké, nou... dan kan ik ook niet veel meer voor je doen. Misschien een flinke borrel, dat helpt ook tegen de pijn.'
'Haha,' zeg ik met een zuur gezicht.
Mijn vader grijnst. 'Kruip dan maar gauw je bed in, en probeer te slapen. Het is al heel laat, lieverd.'
Ik knik en ga op mijn tenen staan om hem een zoen te geven. Niet op de wang die Isabel gekust heeft, maar op de andere.
'Welterusten lieve pap, was de film leuk?'
'Ja, hij was heel goed. En het was fijn om weer eens uit te gaan. Dat was langgeleden. Slaap lekker, schat, sterkte ermee.'
Ik glimlach als een boerin met kiespijn en loop naar mijn kamer toe. Opeens schiet het boek met de foto's door mijn hoofd. Sam ligt er op dit moment pal naast!

# HOOFDSTUK 19

Het is nog vroeg als ik de deur van de winkel openmaak. Ik voel me beroerd. Ik heb veel te kort geslapen en mijn kies doet zeer. Ik heb alweer twee pijnstillers op.
Nu kan ik eindelijk ongestoord de foto's bekijken. Afgelopen nacht kon het niet meer, want Sam heeft bij me geslapen. Gelukkig had ze het boek gewoon laten liggen.
Ik leg mijn tas op de toonbank, doe de lichten aan en snuif. Mmm... wat ruikt het hier toch zalig. Maar vandaag moet ik het bij ruiken laten, want met die kies kan ik beter niet snoepen. Wat een pech dat dat nu gebeurd is. Net nu alle lekkers van de wereld tot mijn beschikking staat. Vanmorgen heb ik alleen maar een grote kom vanillevla gegeten en zelfs dat gaf pijnscheuten. Alle zoetigheid doet pijn.
Ik leg het dikke boek voor me neer, sla het open en pak de eerste foto.
Mijn moeder, misschien achttien jaar oud. Ze zit achter op een brommer, met haar armen om een jongen heen geslagen. Die jongen is mijn vader. Hij lijkt op Pip! Net zo lang en dun als hij. Met idiote bakkebaarden. Ha! Mijn vader op een brommer, zo'n gekke met een hoog stuur. Ik giechel. Mijn moeder is knap en ze straalt. Ze heeft een minirokje aan, mooie bruine benen en een wit bloesje met wijde mouwen. Ze is niet mager zoals Sam, maar een beetje tussen ons in.

Ik zucht en staar lang naar de foto. Mijn vader en mijn moeder. Ze kijken allebei ontzettend gelukkig.
Op de achterkant staat, in hetzelfde keurige kleine handschrift als in het boek: *Barbara en Walter, april '82*.
Ik realiseer me opeens dat ik niet weet in welk jaar mijn moeder geboren is.
Eens kijken... als ze hier inderdaad achttien is, dan zou ze geboren zijn in 1964. Wij zijn nu veertien... Dan is ze doodgegaan toen ze... ongeveer zevenentwintig was.
Zevenentwintig. Er komen tranen is mijn ogen. Dat kan gewoon niet, zevenentwintig. Zo jong! Als ze tenminste echt dood is. Misschien leeft ze nog. Dat kan niet anders. Het hartje zei het. En de hartjes hebben altijd gelijk, op de een of andere manier.
Als ik nog een paar foto's heb bekeken zit ik helemaal te janken. Ze ziet er zo lief uit op elke foto, zo stralend, zo jong en zo mooi! Het is zo verschrikkelijk oneerlijk! Onze moeder die onze moeder nooit is geworden. Die ons nooit heeft geknuffeld, die wij nooit hebben kunnen zien en aanraken. Die nooit liedjes voor ons heeft gezongen en ons nooit in bed gestopt heeft. Die nooit thuis op ons zit te wachten als wij uit school komen, die nooit trots naar ons gekeken heeft en om ons lachte. Die we nooit om raad kunnen vragen... Die ons nooit gezien heeft. En wij haar niet. Ik wil haar terug! Ik wil haar kennen, ik wil haar stem horen, ik wil met haar praten. Ik wil haar zo veel vragen!
Al het opgekropte verdriet van jaren en jaren komt er opeens uit. Ik moet heel erg huilen. Ik heb nog lang niet alle foto's bekeken, maar ik stop ze snikkend terug in het boek. Ik loop naar het keukentje en hou mijn gezicht onder de koude kraan. Daarna druk ik mijn gezicht in de geruite theedoek die naast het aanrechtje hangt.
Opeens voel ik een hand op mijn schouder. Ik geef een gil van schrik.

Met een ruk draai ik me om en ik kijk recht in het gezicht van Mo, de jongen van gisteren.
'Hé, w-wat is er met jou aan de h-hand? W-waarom h-huil je?'
Ik geef hem een duw in de richting van de deur naar de winkel en roep door mijn tranen heen: 'Wat doe jij hier nou? Ga weg, je mag hier helemaal niet komen.'
Ik word plotseling bang. Stel dat die andere jongens in de winkel zijn en hij houdt me hier vast, dan kunnen ze alles leegroven. En het geld in het kistje!
'Ga weg!' roep ik nog een keer. Tot mijn verbazing doet hij wat ik zeg. Snel boen ik mijn gezicht. Ik kijk om me heen. Ik moet iets hebben om mee te kunnen meppen. Maar wat? Ik kan ze moeilijk met een zuurstok te lijf gaan. Naast het aanrecht staat een bezem. Dan moet het daar maar mee. Ik spits mijn oren, maar ik hoor niemand praten. Ik adem diep in en stap de winkel binnen. Mo staat voor de toonbank met zijn handen in zijn broekzakken en hij staart naar zijn gympen, waar de veters van loshangen. Er is verder niemand.
Ik slaak een zucht van opluchting, maar de bezem hou ik stevig vast.
'Wat moet je? Hoe ben je binnengekomen?'
Mo kijkt op. Zijn korte donkere krullen staan stijf van de gel en er hangt een enorme aftershavewalm om hem heen. Ik moet ervan niezen.
'I-ik... G-gewoon door de deur. J-je was zo aan het huilen dat je het g-geklingel van de bel niet hoorde, denk ik.'
'Ik huilde helemaal niet,' zeg ik kwaad en ik haal mijn neus op. 'Ik had me ergens in verslikt. Ik moest hoesten.'
'O, o-oké... W-waarin had je je verslikt?'
Stottert hij nou echt zo erg of houdt hij me voor de gek? Achterdochtig kijk ik hem aan. Hij glimlacht aarzelend en ik zie dat hij een beugel heeft. Op een vreemde manier maakt dat opeens dat hij niet meer zo bedreigend is, maar een gewone jon-

gen, niet eens zo heel veel ouder dan ik. Ik krijg weer wat meer moed. Ik ga achter de toonbank staan en antwoord fel: 'Maakt jou dat wat uit? Wat kom je hier nou doen? Kom je me weer uitschelden en snoep jatten?'
Mo schudt zijn hoofd en kijkt meteen weer naar zijn schoenen. 'I-ik... hier.' Hij graaft in zijn zak en legt met een rood gezicht een briefje van vijf euro op de toonbank.
'Wat wil je hebben?' vraag ik stug.
'Niks... Ik h-hoef niks... Het is voor g-gisteren.'
'Voor gisteren? Hoezo?'
'V-voor wat we gepikt h-hebben.'
'Kom jij dat terugbetalen?' vraag ik ongelovig.
Mo knikt, maar hij durft me niet aan te kijken.
Ik barst in hoongelach uit. 'Ben je opeens bekeerd of zo? Ben je een braaf jongetje geworden?'
Mo haalt zijn schouders op en loopt naar de deur.
'Hé,' zeg ik iets vriendelijker. 'Waarom doe je dit?'
Mo draait zich om. 'Omdat... omdat... ik je s-stoer vind,' stottert hij.
'Ik? Stoer? Haha!'
'Ja. Wat je d-deed was d-dapper. N-niemand d-durft ooit zijn b-bek open te doen tegen S-Sven. Jij wel. Jij hebt hem een k-klap verkocht. Dat vind ik stoer.'
'O,' zeg ik verbaasd.
'En... en ik vind j-jatten niet g-goed.'
'Zo... waarom doe je er dan aan mee?'
Mo haalt weer zijn schouders op, doet de deur open en mompelt iets.
'Wat?' roep ik hem na. 'Wat zei je?'
Mo kijkt om. Zijn schouders hangen naar beneden en hij heeft zijn handen diep in zijn zakken gestopt. 'O-omdat ik nou eenmaal een l-lafbek ben,' zegt hij. 'M-maar zeg n-niks tegen S-Sven, a-alsjeblieft?'

## HOOFDSTUK 20

Als hij weg is, plof ik neer op mijn stoel. Dit was wel het laatste wat ik verwacht had. Ik, dapper! Ha! Hij moest eens weten dat ik dat alleen maar was omdat ik ongeveer een kilo rumbonen op had.

Ik haal diep adem en er komt nog een achtergebleven snik naar boven. Ik pak een karamel, steek hem in mijn mond en begin erop te kauwen. Meteen spuug ik hem uit. Au! Die rotkies, vergeten! Ik loop met het briefje van vijf naar het geldkistje in de keuken en stop het erin. Boven het aanrecht hangt een spiegel. Ik sper mijn mond open en trek mijn wang opzij in een poging de afgebroken kies te zien, maar het zit te ver naar achteren.

Het boek met de foto's ligt op het aanrecht. Ik doe het open en pak de bovenste foto eruit. Het is een portretfoto in kleur, een beetje verbleekt en met een wit randje eromheen. *September 1988*, staat erachterop. Toen was ze dus ongeveer... vierentwintig jaar. Haar haar is korter op deze foto, niet meer tot halverwege haar rug, maar tot net boven haar schouders. Net zo lang als het mijne nu is. Ik bestudeer mijn gezicht in de spiegel. Lijk ik op haar? Ze heeft donkere smalle wenkbrauwen, net als ik, dezelfde vorm. Haar ogen zijn bruin, ook net als de mijne, maar die van haar zijn groter en ronder en haar wimpers zijn veel langer. Pip heeft ook zulke lange wimpers, maar blauwe ogen,

en Sam heeft ook bruine ogen, maar met blond haar. Papa's ogen zijn grijsblauw. Mijn gezicht is veel boller en ronder dan mijn moeders gezicht. Als ik dunner zou zijn... zou ik dan meer op haar lijken?
Ik heb een andere neus. Meer een aardbeienmodel, die van haar is recht en klein. Als je dik wordt, zou je neus dan ook dik worden? Ik heb opeens een hekel aan mijn eigen bolle kop. Normaal vermijd ik het om in spiegels te kijken. Maar ik ga toch verder met het bestuderen van de foto en van mezelf. Mijn mond lijkt wel weer op die van haar.
Mijn gezicht zit vol rode vlekken van het huilen en mijn ogen zijn helemaal opgezet. Op mijn voorhoofd zit een kolonie pukkels. Bah. Speklap. Winkelbiggetje. Mijn moeder is heel knap en ik ben dik en lelijk, dat is wel duidelijk. Als ze me nu zou zien, zou ze niet bepaald trots op me kunnen zijn. Misschien wél omdat ik op het gymnasium zit en altijd goede punten heb, maar verder... Bijna begin ik weer te janken. Ik stop de foto in de zak van mijn trainingsjack. Deze hou ik bij me.
De bel klingelt en er schallen kinderstemmen door de winkel.
'Oom Ranja! Waar ben je? Doe je verstoppertje? Of zit je weer in de keuken te slapen? Kom nou tevoorschijn! We hebben ons zakgeld gekregen!'

'Fieeeeew! Oom Ranja? Ben je al geopereerd?'
'Zwaan, ben jij dat? Wat is dat voor geluid?'
'Een fluitlolly. Ja, ik ben het.' Ik blaas nog een keer. Ik heb ontdekt dat sabbelen op een lolly wel gaat. Ik heb vreselijke honger. Al dat snoep om mij heen en het niet kunnen eten, is een kwelling. Gelukkig was het vandaag zo druk dat ik niet al te veel tijd had om er aandacht aan te besteden.
'Heb je al een glazen oog? Of is het toch een kauwgumbal geworden?'

'Wat zeg je, Zwaantje. Je moet een beetje harder praten, want mijn telefoon doet het niet zo goed.'
'Heb je al een nieuw oog?' schreeuw ik.
Oom Ranja lacht, het klinkt nogal zwakjes en niet erg vrolijk.
'Nee nee... Nog niet. Ik ben nog niet geopereerd.'
'Waarom niet?'
'Omdat ze ontdekt hebben dat ik suikerziekte heb.'
'Suikerziekte? Wat is dat?'
'Wat zeg je?'
'Wat is dat?' gil ik.
'Dat weet ik niet precies.'
'En wat gaat er nu gebeuren?'
'Maar de zusters zijn heel aardig, Zwaan. En knap! Ik ben nog nooit zo verwend!'
'Maar wat gaan ze nou doen, oom Ranja?'
'Het eten is heerlijk en ze schudden mijn kussen op, en ik krijg de hele dag kopjes thee, maar met zoetjes erin. Die vind ik niet lekker. Ze zijn wel streng hoor, die knappe zustertjes!'
'Dus je ligt nog in het ziekenhuis?'
Oom Ranja verstaat me duidelijk niet. Hij praat gewoon door.
'Ik lig op de kamer met een mevrouwtje. Ze heet tante Ans, en ze wordt morgen geopereerd. Aan haar benen. Trombose. Aardige dame, heel aardig. Ze gaat een sjaal voor me breien. En ze houdt ook erg van snoep, jaja...'
'Zal ik morgen op bezoek komen, oom Ranja?'
'Wat zeg je, kind? De telefoon doet het niet goed.'
Ik hoor dat hij ermee op iets slaat.
'Hoor je me nu beter, Zwaan?'
'Ja, ik hoor u wel, maar u mij niet. Zal ik morgen op bezoek komen?' toeter ik.
'O, de zuster is er weer. Met een spuit. O, o... Zwaan, ik moet me verstoppen. Daag!'

Ik zet mijn mobieltje uit. Morgen ga ik gewoon naar hem toe. Het is vandaag heel erg druk geweest en er zit bijna driehonderd euro in het geldkistje. Er is maar één ziekenhuis hier in de buurt en ze weten vast wel waar hij ligt.
Alhoewel... ik weet oom Ranja's achternaam niet eens. Hij heeft hem wel eens verteld, maar hij was zo moeilijk uit te spreken dat ik hem meteen weer vergeten ben.
Suikerziekte... Jeetje, ik heb er wel eens van gehoord, maar ik weet niet precies wat het is. Dat je ziek wordt van suiker? Of juist zonder suiker? Als ik het maar niet krijg van al mijn gesnoep. Ik gooi mijn lolly in de vuilnisbak. Mijn kies zeurt. Ik zie vreselijk tegen de tandarts op. Als hij maar niet nog meer gaatjes ontdekt. Waarom geneest een kies niet vanzelf? En waarom bestaan er geen toverkaramels, die je gewoon in het gaatje plakt, zoals bij *Sjakie en de chocoladefabriek*, mijn lievelingsboek?
Ik pak mijn spullen bij elkaar. Ik ben best moe, van de hele dag staan. Maar het was gezellig. Winkeltje spelen is echt leuk. Misschien begin ik later wel mijn eigen snoepwinkel. 'Znoep van Zwaan' noem ik het dan.
Als ik de deur van de winkel op slot draai, zie ik aan het eind van de straat de twee jongens van gisteren staan, Sven en Jim. Mo is er niet bij. Ze hangen over hun brommers heen, sigaret in de mond en ze kijken mijn richting op. Ze staan zo ver weg dat ik hun gezichten niet goed kan zien, maar ik weet zeker dat zij het zijn.
Ik draai de sleutel voor de zekerheid nog een keer extra om, pak mijn fiets en rij snel weg.

# HOOFDSTUK 21

Ik heb vanavond heel voorzichtig gegeten, aan de andere kant van de zere kies, maar ik heb nog steeds honger. Het kauwen ging zo langzaam. Iedereen was al klaar en ik had de helft nog niet op. Meestal heb ik al drie porties naar binnen, terwijl de anderen nog met hun eerste bord bezig zijn. Ik heb goed op papa gelet, maar volgens mij heeft Sam haar mond dichtgehouden over wat we gisterenavond gezien hebben. Iedereen deed heel gewoon. Behalve dan dat Pip weer met zijn rugzak om aan tafel zat. Papa deed net alsof hij het niet zag en Sam durfde er blijkbaar niks meer van te zeggen.

Het eerste wat ik doe als ik op mijn kamer ben, is de boeken uit de kelder opruimen.

Overal in mijn kamer liggen stapels op de grond, omdat mijn boekenkast helemaal vol is. Er gaan paadjes van de deur naar mijn bed, en naar mijn bureau en mijn kleerkast.

Boeken geven me een veilig gevoel. Ik kan wegduiken in een andere wereld, wanneer en hoe lang ik zelf wil. Ik kan vluchten uit mijn eigen saaie leventje. Hoewel mijn leven behoorlijk spannend is, de laatste tijd.

Ik verdeel de oude boeken uit de kelder over de stapeltjes die overal liggen, en leg ze onderop. Zo vallen ze niet op.

Het fotoboek moet natuurlijk het best verstopt worden. Ik leg het onder op een hoge stapel naast mijn bed. Niemand die het daar zal vinden.

Opeens vliegt mijn deur open en Sam stormt binnen. 'Beer, Beer! Ik ben het! Kijk eens!' Sam trekt haar broek naar beneden. Ik wend mijn blik snel af.
'Mafkees, doe me een lol! Dat hoef ik niet te zien!'
Sam trekt met een teleurgesteld gezicht haar broek weer omhoog. 'Beer! Stoer, hè? Ik ben het! Ik ben ongesteld. Nu ben ik een echte vrouw! Nu kan ik kinderen krijgen!'
'Als je het maar uit je hoofd laat,' brom ik terwijl ik een paar boeken opstapel tot een mooi torentje.
'Wil je me nu uitleggen wat ik moet doen, Beer?'
Sam staat heen en weer te wiebelen en drukt haar hand tegen haar kruis alsof ze bang is dat ze leegloopt.
'Is het zo erg?'
'Nee, één bruin drupje maar. Maar het begint, echt!'
Ik sta op en loop naar mijn kast. Uit een la haal ik een pak maandverband. 'Hier, stop dit in je onderbroek en klaar is Kees.'
'Wat? Het hele pak?'
'Doe niet zo onnozel. Eentje natuurlijk.'
Sam giechelt. 'En hoe lang moet het erin blijven zitten?'
'Jeetje Sam, weet je nou helemaal niks?' zeg ik nogal snibbig. Ik wil doorgaan met mijn boeken. Als ik zie hoe ze kijkt, hou ik me in. Ondanks haar make-up en haar uitdagende kleren ziet ze er jong en onzeker uit.
Ze bijt op haar lip. 'Sorry Beer, ik weet niet aan wie ik het anders moet vragen. Aan Isabel durf ik niet, dat vindt ze vast stom. En ook niet aan papa. Het staat echt niet in de tijdschriften, ik kan het nergens vinden.'
Ik loop naar mijn zus toe en sla mijn arm om haar heen.
'Nou, niet huilen, Sampie. Nergens voor nodig.'
Sam haalt haar neus op. 'Sorry Beer. Ik stel me aan. Het zijn de hormonen, denk ik.'
'Ik begrijp het heus wel.'
'Hoe wist jij het dan allemaal?'

Ik haal mijn schouders op. 'Gewoon, zelf uitgevonden.'
Ik loop terug naar de kast en rommel in een la. Het was niet leuk, dat weet ik nog goed. Mijn eerste menstruatie kwam ongeveer een jaar geleden, en ik voelde me verschrikkelijk onhandig en onzeker. Ik was de hele tijd bang dat ik zou doorlekken, of dat iemand het zou zien of ruiken. Ik had er nachtmerries van.
Geduldig leg ik Sam alles uit. 'Kijk, dit is dik maandverband, voor de eerste dagen, dan bloed je het ergst. Maar nu nog niet, denk ik, want het is de eerste keer. En daarna kun je dit gebruiken, dat is dunner.'
'En wanneer moet ik een nieuwe erin doen?'
'Als het nodig is. Dat zie je vanzelf.'
'O? Hoe dan?'
'Natuurlijk niet als er maar één drupje in zit. Dat deed ik in het begin. Toen gebruikte ik ongeveer drie pakken maandverband per dag, maar dat hoeft helemaal niet.'
'Oké. En wat doe ik ermee? In de wc gooien?'
'Nee, joh, dan verstopt de boel.'
Wij hebben drie badkamers in ons grote huis en ook drie wc's. Eentje ervan heeft het heel lang niet gedaan en dat was mijn schuld. Maar dat heb ik natuurlijk nooit tegen iemand gezegd. Gelukkig heeft papa een paar maanden geleden de loodgieter laten komen, en nu doet alles het weer.
'Je kunt het maandverband in een wc-papiertje doen, of in het plasticje van de volgende, en je gooit het in de vuilnisbak. Of de grote container buiten, dat doe ik altijd.'
'En Beer, hoe moet het met gymmen? Dat heb ik maandag en dan ziet iedereen het!'
'Ach nee, heus niet.'
'Kan ik tampons gebruiken?'
'Dat kun je proberen. De eerste keer is wel lastig, hoor. Bij mij tenminste wel.'

‘Waarom?’ Sam kijkt me met grote ongeruste ogen aan. Opeens zie ik de foto van mijn moeder weer. Sam lijkt ook op haar, haar neus, haar wenkbrauwen en de kuiltjes in haar wangen als ze lacht.
‘Joehoe Beer, wat zit je te staren!’ Sam zwaait met haar hand voor mijn ogen. ‘Zie je spoken of zo?’
Ik grijns. ‘Nee, ik dacht aan toen ik het voor het eerst probeerde. Dat was nogal een gedoe. Als je heel gespannen bent krijg je ze never nooit niet erin en dan doet het ook pijn. Je moet je ontspannen.’
‘Wat een gedoe,’ zegt Sam. Ze ziet er nu een stuk minder opgetogen uit.
‘Ik vind het eigenlijk helemaal niet zo leuk meer. Eerst buikpijn en dan dit gefrunnik. Bah. En dadelijk lek ik door...’
‘Nee, joh. Je gaat gewoon wat vaker naar de wc, om te kijken. En je went er snel genoeg aan.’
‘En hoe lang duurt het, Beer?’
‘Tot je vijftig bent of zo.’
‘WAT! Vijftig? Aan één stuk door?’
‘Nee, suffie! Het duurt een dag of vijf, zes. De eerste twee dagen bloed je het meest, en daarna wordt het minder. En het komt elke maand terug.’
‘Elke maand! Belachelijk!’
‘Tja, niks aan te doen.’
‘Jeetje... Wat oneerlijk. En Pip heeft niks.’
‘Jawel, een piemel.’
‘Haha... leuk, hoor.’
Ik pak een doosje minitampons uit een la. ‘Hier. Ga er maar mee oefenen. Kun je lachen.’
‘Iew,’ zegt Sam met opgetrokken neus. ‘Nou, ik probeer eerst dat maandverband wel, hoor.’
‘En met gym hou je gewoon je trainingsbroek aan, dan ziet niemand het.’

'Ik spijbel gewoon,' zegt Sam. 'Of ik schrijf een briefje dat ik naar de dokter moet.'
'Dat kan ook,' zeg ik. Sam is supergoed in handtekeningen vervalsen.
'Je hebt niks tegen pap gezegd, hè? Van gisteren? Van Isabel?'
Sam schudt haar hoofd. 'Goed van mij, hè? Had je niet gedacht, hè? Ik kan best mijn mond houden.'
'Geweldig, zeg maar niets ook. Misschien is er wel helemaal niks aan de hand.'
'Jawel, dat is er wel. Ik voel het en ik zie het,' zegt Sam. 'Er broeit iets tussen die twee. Ik heb erover nagedacht. Ik vind het toch wel goed. Papa gaat vast weer schrijven als hij gelukkig is. En dan komt er tenminste weer veel geld binnen.'
'O, Sam! Dat is opportunisme!'
'Opper-wat?'
'Eigenbelang,' zeg ik.
'Zeg dat dan meteen, boekenwurm. Nee, hoor. Nou, een beetje. Ik wil gewoon dat het goed gaat met papa, want ik hou van hem. En als het goed gaat met hem, gaat het ook goed met ons, toch? Is dat opper... eigenbelang?'
Ik haal mijn schouders op.
Sam komt naar me toe en geeft me een zoen. Met een vies gezicht poets ik hem weg.
'Bedankt Beertje, voor de voorlichting. Je bent een schat. Hoe is het met je kies?'
'Gaat wel, het doet niet meer zo'n pijn als gisteren. Ik denk dat het wel weer geneest.'
'Gek, een afgebroken kies geneest niet.'
'Ja duh.'
'Heb je nog chocola voor me?'
Ik knik, zoek in een andere la en haal er een reep uit tevoorschijn.

‘Zo, nou weet ik ook waar die liggen,’ zegt Sam grijnzend.
‘Je blijft eraf! Koop ze zelf maar.’
‘Oké. Hé, waar zijn al die boeken uit de kelder?’
‘Ik heb ze opgeruimd. Ze waren van ons, van vroeger,’ lieg ik. ‘Ik had ze allemaal al gelezen.’
Sam huppelt tussen de boeken door naar de deur. ‘Nou, als iemand me zoekt, weet je waar ik zit, hè?’
‘Waar dan?’
‘Op de plee natuurlijk!’

# HOOFDSTUK 22

'Sorry meisje, als je geen achternaam weet, kan ik je niet helpen.'
'Maar... maar ik kan hem toch omschrijven! Hij heet van zijn voornaam Ranja, nee: Rachna, en hij is oud, ongeveer tussen de zeventig en de tachtig en hij is Indiaas en...'
De mevrouw steekt lachend haar hand op. 'Lieverd, weet je wel hoeveel mensen er in dit ziekenhuis liggen? Zo'n zevenhonderd. En die ken ik heus niet allemaal persoonlijk, hoor. Denk je dat ik ze allemaal welkom heet en gezellig naar hun kamer toe breng of zo?' Ze kijkt me hoofdschuddend aan. 'Weet je dan ten minste wel op welke afdeling hij ligt?'
Ik haal mijn schouders op. 'Hij zou aan zijn oog geopereerd worden. En ze hebben ook ontdekt dat hij suikerziekte heeft.'
'Dat zijn al twee verschillende afdelingen. Sorry kind...'
'Ik weet wat,' zeg ik, 'wacht even, ik ga hem bellen, hij heeft zijn mobiel bij zich.'
Ik rommel in mijn rugzak, waar ook het geldkistje en een enorme zak snoep in zit. Boeken heb ik maar niet meegenomen, want hij kan toch niet lezen.
Ik druk oom Ranja's nummer in.
'Als je het goedvindt, ga ik intussen de andere mensen even helpen,' zegt de dame achter de balie.
Ik kijk achterom. Er staat een hele rij. Ik knik en doe een stap opzij.

'Toe oom Ranja, neem nou op,' zeg ik zachtjes. De telefoon gaat heel lang over, springt dan over op de voicemail. Ik weet dat hij die nooit afluistert, dus inspreken heeft geen zin.
Ik bel nog een keer, maar weer wordt er niet opgenomen. Moedeloos plof ik neer op een bank. Hoe moet ik er nou achter komen waar hij ligt? Zou het met hartjes lukken? Ik ga rechtop staan en graaf in mijn broekzak.
Tja... maar wat voor een vraag moet ik stellen? Ik kan moeilijk vragen: ligt oom Ranja op de eerste verdieping, en dan bij alle kamers aankloppen.
'Zal ik maar weer naar huis gaan?' vraag ik.

Ik stop het in mijn mond, aan de andere kant van de afgebroken kies, en ga weer zitten. Wacht, ja, maar waarop? Tot oom Ranja voorbij komt wandelen? Of tot ik een ons weeg? Dat is niet de bedoeling. Mijn maag rammelt weer eens. Ik kijk verlangend naar de zak snoep in mijn rugzak. Vanmorgen vroeg ben ik naar de winkel geweest om het kistje met geld op te halen en ik heb een zak lekkers voor oom Ranja ingepakt. Citroen- en salmiakballen, daar is hij dol op. Als hij het tenminste mag hebben met zijn suikerziekte. Anders kan hij er een goede beurt mee maken bij zijn leuke buurvrouw. Snoep komt altijd van pas.
Eigenlijk moet ik nu niet snoepen, met die kies. Vanmorgen heb ik alleen maar twee borden havermoutpap gegeten en verder nog helemaal niks, terwijl het al elf uur is. Een wereldrecord. Van de pap had ik geen last. Ik kan proberen of het al weer

gaat... Het hartje deed nauwelijks zeer. Ik haal de strik voorzichtig van het zakje en kies een citroenbal uit. Ik stop hem in mijn mond en zuig erop. Het gaat. Geen pijnscheuten. Alleen maar een beetje gezeur. Best uit te houden, ik wen er al aan. Het vervelende van deze ballen is wel dat, als je er een stuk of vijf opgezogen hebt, je gehemelte aan flarden ligt.
Ik wacht en kijk om me heen. Ik hou niet van ziekenhuizen. Papa heeft er bijna vier weken in gelegen na het ongeluk en toen kwamen we hier elke dag.
Er komen een heleboel mensen voorbij. Een oude kromgegroeide meneer in een kamerjas, met een dikke rode neus, schuifelt voorbij. Aan zijn looprek hangt een zakje met doorzichtig spul, dat met een slangetje naar zijn arm gaat. Wat zou daarin zitten? Jenever? Hij knikt vriendelijk naar me. Ik kijk gauw de andere kant op, dadelijk wil hij nog met me praten ook. En dat kan niet, want ik moet me concentreren op het wachten.
Maar nogmaals: waarop? En nog belangrijker, hoe lang? Dadelijk zit ik hier vanavond nog, en dan worden ze thuis ongerust. Het is toch al heel ongewoon dat ik zo vaak weg ben. Vanmorgen toen ik wegging, sliep iedereen nog en ik heb op de keukendeur geschreven dat ik weer naar het atletiekveld was. Volgens mij geloven ze er niks van. Mijn kies begint weer pijn te doen, dus de derde citroenbal stop ik terug in de zak. Ik moet echt minder gaan snoepen. Ik loop nog steeds rond in mijn joggingbroek.
Ik pak nog een hartje. Opeens rijdt er met volle vaart een rolstoel voorbij met een hoogzwangere mevrouw erin. Ze heeft een rood gezicht en ze puft. Haar man rent erachter. Hij heeft een grote tas bij zich en een enorme knuffelbeer onder zijn arm. Ik schiet in de lach. Dan pas kijk ik naar het hartje.

Maar ik heb niet eens een vraag gesteld! Ik stop het terug in mijn zak. Ja's kan ik altijd goed gebruiken... Nee... dit is vals spelen. Zo werkt het niet. Ik moet het opeten, kiespijn of niet. Ik steek het snoepje in mijn mond en kijk naar de zwangere mevrouw in de rolstoel en haar man, die nu allebei puffend voor de lift staan te wachten. Poe, het ziet ernaar uit of die baby er ieder moment uit kan floepen. Ik zie het al voor me in de krant: kind ter wereld gekomen in lift, tussen zesde en zevende verdieping. Dan krijg ik opeens een mega-breinflits.
Misschien... misschien zijn wij wel in dít ziekenhuis geboren! Voorzover ik me kan herinneren hebben we altijd hier gewoond. Misschien is onze moeder hier ook wel veertien jaar geleden zo naar binnen gebracht, met een driedubbeldikke buik.
En misschien... ik denk diep na. Ik weet dat ze in ziekenhuizen alle gegevens die ze van patiënten hebben, bewaren in de computer. Zouden er ook oude gegevens bewaard worden? Als dat zo is, zou dat het raadsel rondom mijn moeder kunnen oplossen!
En ik weet mijn moeders achternaam!

Er staat geen rij meer voor de balie. De mevrouw zit nu met haar leesbril op het topje van haar neus haar nagels te vijlen. Ze kijkt op als ik mijn keel schraap. 'Zo meisje, heb je je oom te pakken gekregen? Weet je al waar hij ligt?'
'Nee,' zeg ik met mijn allervriendelijkste stem, 'hij nam de telefoon niet op, maar... maar ik wil graag iets anders vragen.'
'Wat dan, kind?' zegt de mevrouw en ze legt haar vijl neer.

Ik raap al mijn moed bij elkaar. ‘Kunt u op uw computer alle mensen zien die in het ziekenhuis liggen?’
‘Ja, wel als ik hun hele naam heb. En met een geboortedatum erbij is het nog nauwkeuriger.’
‘Kunt u ook kijken of... Barbara van Amerongen op 24 april 1991 hier lag?’
De mevrouw kijkt me een ogenblik verbaasd aan en barst dan in lachen uit.
‘Vierentwintig april negentien-een-en-négentig! Waarom zou je dat in ’s hemelsnaam willen weten, kind?’
‘Uuhh...’ Koortsachtig denk ik na. Ik voel mijn hoofd rood worden. Waarschijnlijk is het het best om dicht bij de waarheid blijven.
‘Uhm, nou ziet u... Ik... wij zijn in een ziekenhuis geboren, op 24 april 1991 dus, maar... maar ik weet niet eens in welk ziekenhuis. Misschien wel hier. Ik zou dat heel graag willen weten...’
‘Wij, zeg je?’
‘Ja,’ zeg ik, ‘mijn broer en mijn zus ook. We zijn een drieling.’
‘Zo zo, een drieling. Wat leuk! Dat moet toch wel heel speciaal zijn! Lijken jullie erg op elkaar?’
O nee, krijgen we dat verhaal weer. Altijd hetzelfde.
‘Een beetje,’ zeg ik. Het grote verschil is dat ik dik ben en zij dun. Maar dat zeg ik maar niet.
‘Kunt u alstublieft even kijken? Barbara van Amerongen heet ze.’
‘Wie is dat dan?’
‘Mijn... mijn moeder.’
‘Je moeder? Maar dan kun je het haar toch vragen?’
Ik zet mijn zieligste gezicht op. ‘Nee, dat kan niet, want... want ze is doodgegaan, bij onze geboorte.’
De mevrouw zet haar bril af en kijkt me met grote ogen aan.
‘Ach lieverd, wat náár voor je... voor jullie. Wat afschuwelijk.’

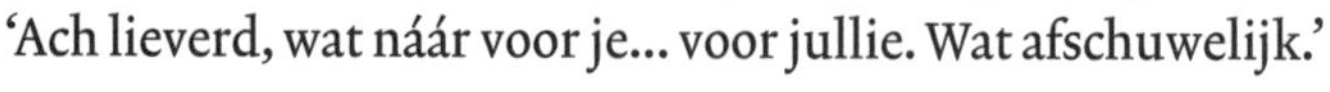

Ik bijt op mijn lip en sla mijn ogen neer. 'Ja...' zeg ik. 'We missen haar heel erg.'
Jeetje, waarom zeg ik dit nou? Tegen een wildvreemde nog wel. Ik heb het nog nooit tegen iemand hardop gezegd! Ik heb de neiging om nu hard weg te lopen.
'Kindje toch,' zegt de vrouw. 'Maar... je vader dan? Kun je het niet aan hem vragen? Hij was er vast bij.'
'Hij... Papa is overleden aan een tumor, in zijn hoofd. Deze zomer. Ik... ik heb alleen nog oom Ranja, en die is heel oud. Er zijn zo veel dingen die ik niet meer aan hem heb kunnen vragen...'
Ik knipper met mijn ogen. Jeetje, ik geloof zo in mijn eigen zielige verhaal dat ik er echt tranen van in mijn ogen krijg.
'Daarom... Kunt u het alstublieft even voor me opzoeken?' Ik veeg een traan weg die over mijn wang rolt.
De mevrouw kijkt me hoofdschuddend aan. 'Ik zou het best willen, maar ik weet eigenlijk niet eens of ik dat wel mag doen...'
'O, alstublieft mevrouw, ik zou het zo graag willen weten...'
'Nou oké dan... als het zo belangrijk voor je is. Het is nu toch even rustig. Het bezoekuur is voorbij... Hoe was haar naam ook weer?'
'Barbara van Amerongen. Je schrijft het zoals je het zegt.'
'Van Amerongen.' Ze schuift haar bril omhoog en haar vingers vliegen over het toetsenbord.
Ze kijkt naar het scherm. 'Wat is je moeders geboortedatum?'
Ik bloos weer. 'Weet ik niet... Ze was zevenentwintig... dus...'
Ik krijg een enorme brok in mijn keel.
De mevrouw toetst nog een paar dingen in en schudt haar hoofd. 'Nee, sorry kind, het spijt me. Van Amerongen... Nee... Op die dag lag er niemand die zo heette in het ziekenhuis.'

# HOOFDSTUK 23

Ik haal diep en trillerig adem als ik weer buiten in de frisse lucht sta. Ik plak helemaal van het zenuwzweet. Ik haal mijn fiets van het slot en trap diep in gedachten naar huis.
Wat zijn die hartjes toch geweldig, het lijkt wel tovenarij!
Doordat ik wachtte, zag ik die zwangere mevrouw en kreeg ik dit idee. En daarna zei het hartje: ja...
Mijn hart bonst van opwinding. Ik heb belangrijke informatie nu. Mijn moeder lag niet in het ziekenhuis op de dag dat wij geboren werden. Dat maakt de kans dat ze nog leeft groter.
Misschien zijn we gewoon wel thuis geboren! Gewoon, alle drie, floep, floep, floep! En misschien ging het dus helemaal niet verkeerd... door mij, zoals ik altijd gedacht heb. Omdat ik de dikste en de grootste was.
Mijn hoofd duizelt. Ze is misschien niet dood, ze is niet dood!
O, plies, laat haar nog leven, ergens. Desnoods in een gekkenhuis, als ze maar niet dood is.
Ik ben zo in gedachten verzonken dat ik niet merk dat er iemand naast me komt rijden.
'Hé! H-had je me niet g-gehoord? Ik heb al d-drie keer naar je g-gefloten.'
Geschrokken stap ik af. Het is Mo. Hij pakt mijn stuur vast. Ik ruik zijn aftershave.
Ik geef een ruk aan mijn fiets. 'Laat me los! Wat moet je van me?'

'I-ik k-kom je w-w-waarschuwen.'
Ik barst in lachen uit. 'Waarvoor? Komt er een invasie van buitenaardse wezens? Of is er een komeet in aantocht?'
Mo kijkt gekwetst de ander kant op. 'Nee, nee... H-het is geen g-grap, hoor. Ik m-meen het.'
Ik doe een stap achteruit met mijn fiets, klaar om ervandoor te gaan. Ik herinner me opeens dat het geldkistje in mijn rugzak zit. Ik vertrouw hem voor geen meter.
'Wat is er dan?' vraag ik bits.
Mo kijkt me even aan en wendt dan meteen zijn blik weer af.
'S-Sven... en... J-Jim... Z-ze zijn wat van p-plan.'
'Wat dan?'
Mo friemelt ongemakkelijk aan zijn bel. Het valt me op dat zijn fiets splinternieuw is. Zou die gejat zijn? En zijn kleren zien er ook niet bepaald goedkoop uit.
Ik weet niet wat ik moet doen. Zal ik er als een speer vandoor gaan of luisteren naar wat hij te zeggen heeft? Ik durf geen hartje te pakken, dat zou belachelijk staan.
Blijkbaar ziet Mo mijn tweestrijd. Hij legt zijn hand op mijn stuur. 'Z-Zwaan, j-je kunt me echt v-vertrouwen, h-hoor.'
'Hè? Hoe weet jij hoe ik heet?' vraag ik verbaasd.
'Van S-Sven en J-Jim. Zij h-hebben met k-kinderen die uit d-de snoepwinkel k-kwamen g-gepraat.'
'O? Waarom?' Ik doe nog een stap achteruit. Dit bevalt me helemaal niks.
'Z-ze h-hebben de k-kinderen uitgehoord... en... en...'
'Ja en? Waarom?' vraag ik ongeduldig.
Mo's gezicht is nu knalrood. 'S-s-sorry, i-i-ik k-kan n-niet zo s-snel praten. Ik...'
Ik schaam me opeens. 'Sorry,' mompel ik.
Mo haalt diep adem. 'Ze w-wilden w-weten waar oom Roch...

Ranja was. En... en toen v-vertelden ze dat h-hij in het z-ziekenhuis ligt... en dat jij... z-zolang de w-winkel openhoudt.'
'En waarom wilden ze dat weten?' vraag ik met een naar voorgevoel.
'V-voor het geld... Z-ze willen... ze k-komen maandag voor het g-geld.'
'Wát?' roep ik geschrokken uit.
Mo knikt en hij kijkt zenuwachtig om zich heen.
'Komen ze me overvallen?'
Mo knikt. 'Ik... ik w-wil je wel helpen, Z-Zwaan.'
Er spuit een golf van woede door mijn aderen.'Mij helpen? Tegen je vrienden? Daar geloof ik niks van. Ben je dan een verrader of zo?'
Mo trekt zenuwachtig aan het ringetje in zijn oor. 'Nee... nee... n-natuurlijk niet.'
'Waarom vertel je dit dan? Ik snap er niks van!'
'V-vertrouw me n-nou maar.'
'Waaróm?'
Weer haalt Mo diep adem.'O-omdat ik r-respect voor je heb.'
'Ach man, hou toch op. Hou je moeder voor de gek!'
'N-nou, oké, m-m-moet je het zelf m-maar w-weten. A-ajuus!'
Met gebogen hoofd stapt hij op zijn fiets en rijdt weg.
Als hij bijna de straat uit is, bedenk ik me opeens. 'Hé Mo, wacht even!' roep ik hem na. Ik spring op mijn fiets en ga achter hem aan. Maar hij fietst snel en ik kan hem niet bijhouden.
'Mo, wacht nou!' roep ik hijgend. 'Mo!'
Mo stopt abrupt en ik moet hard op mijn rem trappen om niet tegen hem aan te knallen 'Sorry... sorry dat ik zo onaardig deed,' hijg ik buiten adem. 'Maar... het is ook allemaal zo raar, dat begrijp je toch wel? Wil je het me toch vertellen?'
Mo staart naar zijn schoenen en zegt niks.
'Alsjeblieft,' zeg ik. 'Ik zal niet meer rot doen.'

Even later zitten we in het park op een bank, een beetje ongemakkelijk naast elkaar. Ondanks het feit dat het oktober is, is de zon warm. Ik durf mijn jas niet open te doen omdat ik bang ben dat Mo flauwvalt van de zweetlucht die er dan ontsnapt.
'Dus ze komen maandag, vlak voor zes uur? Met van die boevenmutsen op?'
Mo knikt.
'En jij ben er ook bij?'
Mo knikt weer. 'A-als ik niet meega, h-hebben ze me door.'
'Dan doe ik gewoon de winkel niet open.'
'D-dan heb je kans dat ze 's nacht komen en een s-steen door de ruit gooien. Ze hebben ook al eens een b-benzinepomp beroofd. En... en iemand i-in elkaar g-geslagen.'
'Echt waar? En... en jij ook? Heb jij daaraan meegedaan?' Ik kijk hem geschrokken aan.
Mo bijt met een rood hoofd op zijn lip en friemelt met het touwtje van zijn jack.
'Heb jij ook geslagen?'
'N-nee, d-dat niet.'
'O, gelukkig zeg! Maar waarom deed je dan mee?'
'Ik z-zei toch...'
'Wát zei je toch?'
Mo kijkt de andere kant op.
Hè verdorie, doe ik het weer, ik moet hem niet steeds onderbreken en gewoon geduldig wachten tot hij uitgesproken is. Geduld is niet mijn sterkste kant. 'Vertel het dan!'
'Nee, l-laat maar...'
'Toe, plies. Ik heb jou vertrouwd, nu moet je mij ook vertrouwen.'
Mo kijkt me weer even kort aan. 'E-er v-valt n-niet v-veel te v-vertellen. I-ik ben g-gewoon een s-s-slappeling, d-dat heb... ik al g-gezegd.'

'Dwingen ze je?'
'N-nee. L-laat nou maar.'
'Oké, maar ik vind je geen slappeling, hoor, als je dat maar weet. Het was hartstikke dapper dat je dat geld terugbracht en het is ook heel dapper dat je nu naar mij gekomen bent. Hé, hoe heb je mij eigenlijk gevonden? Was het toeval dat je mij zag fietsen?'
Mo bloost. 'I-ik dacht w-wel dat je oom R-Ranja zou gaan o-opzoeken. I-ik h-heb opgebeld w-wanneer het b-bezoekuur was. En t-toen b-ben ik gaan w-wachten b-bij de ingang en... en t-toen b-ben ik j-je achternagefietst.'
Ik kijk hem bewonderend aan. 'Slim ben jij zeg!'
Mo schudt zijn hoofd. 'Nee... i-ik ben niet slim. D-dom.'
'Nee, joh, niet waar!'
'H-hoe is h-het met hem?'
'Weet ik niet. Hij heeft me niet verteld waar hij ligt en ik weet zijn achternaam niet. Ik heb hem helemaal niet gezien.'
'O-oom Ranja is een aardige m-man,' stottert Mo.
'Ja, hartstikke lief. Ik ken hem al heel lang. Al vanaf dat ik klein was.'
Ik doe mijn jas open, want ik stik. In verband met het stankgevaar ga ik een stukje van Mo af zitten. Ik duw met mijn voet tegen de rugzak aan, die aan mijn voeten staat.
'Hé, wil je een snoepje?'
Mo knikt. Ik haal de zak eruit en geef die aan hem. 'Hier, hou maar. Ik hoef niet meer.'
Mo kijkt me vragend aan. 'W-waarom niet?'
'Ik heb kiespijn,' zeg ik met een grijns en ik klop met mijn wijsvinger op mijn wang.
Mo doet de zak open en kiest er een salmiakbal uit. Ik kijk hoe hij het papiertje ervan afhaalt en hem in zijn mond stopt. Uitnodigend houdt hij toch de zak voor, maar ik schud van nee. Ik ben me opeens erg bewust van mijn slordige joggingbroek en mijn omvang.

We zijn allebei even stil. Ik kijk naar een mus, die voor ons in het gras rondhipt.
'Hé, maar wat moet ik nou doen? Zal ik naar de politie gaan?'
Mo schudt heftig zijn hoofd. 'N-nee... d-dan w-weten ze meteen d-dat ik ze v-verraden heb.'
Ik zucht. 'Maar wat dan? Ik kan dat geld toch niet gewoon maar laten pikken? Oom Ranja is heel arm, hij heeft het nodig. Ik kan ze voor de gek houden en snoepjes in het geldkistje doen.'
'N-nee, d-dan worden ze juist kwaad. D-dan komen ze terug. Ik weet wel w-wat. I-ik heb iets bedacht. Iets w-waardoor ze het gewoon niet m-meer d-durven.'
Ik kijk hem met grote ogen aan. 'Wat dan? Ga je een knokploeg huren? Of heb je een pistool?'
Mo schudt grijnzend zijn hoofd. 'Nee, joh! W-wie niet sterk is, m-moet slim zijn.'

# HOOFDSTUK 24

'Hé Beer, waar was jij nou?' Sam kijkt me nieuwsgierig aan.
'Ja Beer, vertel eens,' zegt Pip, die aan de keukentafel zit te tekenen. 'Was je alweer naar atletiek? Ben je aan het trainen voor de Olympische Spelen of zo?'
Ik knik vaagjes.
'Of heb je daar een leuke jongen ontmoet?' vraagt Sam plagerig.
Ik zet mijn rugzak neer en trek puffend mijn jas uit.
'Grapjurk, wie wil mij nou als vriendin?' zeg ik en ik plof neer op een stoel.
'Op ieder dekseltje past een potje, hoor,' zegt Pip.
'Omgekeerd dan zeker,' zeg ik en ik snuif. 'Wat ruik ik?'
'Pip heeft appeltaart gebakken,' zegt Sam.
'En waar is papa?'
'Boven. Hij probeert te werken, maar volgens mij lukt het niet goed, hij is nogal chagrijnig.'
'Isabel was hier net,' zegt Pip, zonder op te kijken van zijn papier. 'Ze vroeg of we mee naar het strand gingen. Sam en ik wilden wel, maar papa niet. Toen is ze weer weggegaan.'
'Hij zei dat hij weer hoofdpijn had,' zegt Sam met een ongerust gezicht.
Ik weet wat ze denkt. Elke keer dat papa hoofdpijn heeft, denkt ze dat er iets heel erg mis is. Dat er nog een tumor zit, of dat er iets fout gegaan is met de operatie. Maar de dokter heeft gezegd

dat alles in orde was en dat we ons geen zorgen meer hoeven te maken. Dus dat doe ik dan ook niet. Maar Sam wel.
'Er zit hem gewoon iets dwars,' zegt Pip.
Ik kijk Sam veelbetekenend aan. Ze rolt met haar ogen als antwoord.
'Ik ga naar boven,' zeg ik. 'Huiswerk maken.'
'Oké, ik roep je wel als de taart klaar is,' zegt Pip.
'Ik hoef niet,' zeg ik.
Pip kijkt met open mond op van zijn tekening. 'Hoef je niet? Ben je ziek of zo?'
'Nee,' zeg ik. 'Gewoon geen zin.'

Sam loopt achter me aan, naar mijn kamer.
'Denk je dat het met Isabel te maken heeft, dat papa zo doet?' vraagt ze en ze laat zich op mijn bed vallen, boven op een paar boeken.
'Hé, kijk uit, joh!' zeg ik geïrriteerd. 'En ik moet echt huiswerk maken, hoor.'
'Wat doe je toch geheimzinnig de laatste dagen, zussie, volgens mij is er iets.'
'Helemaal niet. Hoe kom je erbij?'
Sam gaat met een geïnteresseerd gezicht rechtop zitten. 'Zit je echt op atletiek?'
'Ja, dat zei ik toch.'
'Ik kan het me gewoon niet voorstellen. Jij en sport.'
'Nou, dan niet,' zeg ik.
'Pip heeft nog steeds zijn rugzak om, zag je dat?'
'Ik heb er niet op gelet,' zeg ik kortaf en ik pak mijn biologieboek en mijn map van de plank boven mijn bureau.
'Ik ben heel erg ongesteld,' gaat Sam gewoon door. 'Ik heb al een half pak maandverband opgemaakt. Maar de buikpijn is gelukkig over.'

'Gefeliciteerd,' mompel ik. Ik ga achter mijn bureau zitten en sla mijn boek op een willekeurige bladzijde open.
'Oké, ik begrijp de boodschap,' zegt Sam. 'Ik ga denk ik maar even naar de stad.'
Ik draai me om en kijk haar smekend aan. 'Wil je dan alsjeblieft een paar broeken voor me meebrengen? En... en iets voor erbij? Een bloes of een trui of zo iets?'
Sam giechelt. 'Je mag ook wel wat make-up van me lenen, hoor. Kun je je mooi maken voor je vriendje.'
'Sam, pestkop!' Ik gooi een schrift naar haar hoofd. Ze kan nog net opzij duiken.
'Het is niet voor een vriendje. Mijn broeken passen gewoon niet meer.'
'Oei, da's niet zo mooi.'
'Nee, zeker niet,' zeg ik kwaad. 'Maat mega-XXXXXL dus.'

Als ze weg is doe ik de deur achter haar op slot. Een heerlijke appeltaartgeur kruipt mijn kamer binnen. Maar vanaf nu ga ik sterk zijn. Ik ga stoppen met snoepen. Er zijn genoeg redenen. Ik wil geen dikke Beer meer zijn, maar een Zwaan. Als ik mijn moeder vind... áls ik haar vind, wil ik dat ze me herkent. Dan wil ik niet verpakt zitten in een laag vet. Ik wil dat ze trots op me is. Ik wil zelf naar de winkel gaan en kleren uitkiezen, en niet maat XXXXL meer hoeven, maar maatje small of medium. En als ik niet meer snoep, gaat die kiespijn misschien toch vanzelf over en hoef ik niet naar de tandarts. En... ik wil een potje zijn met een dekseltje, niet een enorme soeppan zonder.
Ik ga weer achter mijn bureau zitten en trek mijn sweater omhoog. Getverdemme, wat een blubber. Hoe kan ik het zover hebben laten komen? Wat zal Mo wel niet van me denken?
Ik trek de sweater weer over mijn buik heen. 'Beer,' zeg ik streng tegen mezelf, 'wat is dat nu voor een idiote gedachte? Je gaat me

toch niet vertellen dat je op een crimineel valt?' Ik proest het uit van het lachen bij het idee.
Ik ben zo zenuwachtig voor morgen dat ik me niet kan concentreren op mijn huiswerk. Stel je voor dat Mo's plan mislukt? Stel dat ze er niet in trappen? Of dat ze gewelddadig worden?
Ik steek mijn hand in de zak van mijn sweater en schrik. De foto! Hij zit er niet meer in! Hoe kan dat nou? Vanmorgen heb ik hem erin gestopt, dat weet ik zeker. Zou ik hem verloren zijn? Maar waar? In het ziekenhuis?
Ik ren naar de pot met hartjes en fluister: 'Ben ik de foto in het ziekenhuis verloren?'

Heb ik niets aan. Ik pak er nog een. In noodgevallen mag dat.

Dat gebeurt niet vaak: een hartje waar niets op staat.
Misschien is dat een teken dat ik er niet nog een mocht pakken.
Ik stop ze allebei terug in de pot en pak het boek met foto's, dat onder op de stapel naast mijn bed ligt. Gelukkig heb ik er nog meer, hoewel deze wel mijn lievelingsfoto was. Dan bedenk ik

opeens iets. Ik doe mijn deur van het slot en loop naar papa's kamer, die verderop in de gang is, en klop aan.
'Pap, mag ik even binnenkomen?'
'Ja Beer.'
Ik loop naar binnen. Papa zit ingespannen naar zijn computerscherm te kijken. Tot mijn verbazing is het niet leeg.
'Hé, ben je weer aan het schrijven?'
Snel drukt papa het beeld weg. 'Ja... nee... gewoon een brief.'
'Naar wie?' Ik ga op het randje van zijn bureau zitten.
'O... gewoon... uhm, naar de belasting.'
'Is er iets mis dan?'
'Nee nieuwsgierig Aagje, gewoon een aardig briefje van: Beste Belasting, hoe gaat het met jullie? Met ons gaat het goed.'
'Ja, vast,' zeg ik lachend. 'Pap, ik wilde je eigenlijk iets vragen.'
Mijn vader draait zijn stoel naar me toe en trekt één wenkbrauw op. 'Beertje, ik ben aan het werk.'
'Ja, dat zeg je altijd als je geen zin hebt om te praten. Je hebt beloofd dat alles anders zou worden, pap, weet je nog?'
Mijn vader knikt met een schuldig gezicht. 'Zolang je maar niet weer over het verleden begint, Beer. Het verleden is voorbij, laat het met rust.'
De moed zakt me in de schoenen. 'Uh... ik wilde eigenlijk alleen maar één klein dingetje weten.'
'Wat dan?'
'Waar zijn wij geboren?'
'Waarom wil je dat weten?'
'Gewoon. Nieuwsgierigheid.'
'Het staat ook op je identiteitsbewijs, hoor. In Amsterdam.'
O, wat stom, dat had ik zelf kunnen bedenken. Ik probeer nog een beetje verder te gaan. 'Woonden jij en mama toen in Amsterdam?'

Mijn vaders gezicht betrekt en hij draait zijn stoel weer naar de computer. 'Ja, daar hebben we gewoond.'
'En wanneer zijn we dan naar hier verhuisd?'
'Toen jullie nog baby's waren. Nu moet je erover ophouden, Beer.'
'Maar pap...'
'Béér, ik waarschuw je.'
'Jeetje! Ik vind het niet eerlijk, pap!' zeg ik fel en ik stampvoet de kamer uit.

# HOOFDSTUK 25

Ik zit in de winkel en zweet als een vergiet van de zenuwen. Het is half vijf en er zijn pas drie klanten geweest. Mo en ik zijn gisteren een paar uur bezig geweest om alles in orde te maken. Eigenlijk was het best gezellig. Ik moest de hele tijd erg om hem lachen. Ik vroeg me wel steeds af waarom hij dit allemaal voor me wilde doen. Ik weet eigenlijk helemaal niets van hem. Niet waar hij woont, niet op welke school hij zit en in welke klas... Ik weet alleen maar dat hij grappig is en dat hij mooie ogen heeft.
'Haal je nou maar niks in je hoofd, winkelbiggetje!' zeg ik hardop tegen mezelf. Dan lijkt het of ik opeens Sams stem hoor. *Hij weet vast wie je bent, Beer, dat je een rijke en beroemde vader hebt, en in een heel groot huis woont, en zelf een PP hebt. Pas op!*
Ik schud mijn hoofd om de gedachte weg te krijgen en bijt op mijn nagels. Ik heb vandaag nog niks gesnoept en het gekke is dat ik er ook geen zin in heb. Mijn kies zeurt en mijn tong doet pijn van het voelen aan de scherpe rand. Ik hoop maar dat papa vergeet de tandarts te bellen. Hij moet vandaag naar Pips school, om te praten.
Ik word steeds zenuwachtiger. Wat als er net kinderen in de winkel zijn als die griezels binnenkomen? Misschien kan ik toch beter de politie bellen. 'Dag meneer de agent, ik word straks om zes uur overvallen, kunt u alvast even komen?'
Maar misschien komen ze wel helemaal niet. Misschien heeft

Mo het allemaal verzonnen. Misschien zijn ze wel heel iets anders van plan.
De bel klingelt en ik schiet een meter de lucht in. Maar het zijn twee kleine jongetjes en hun moeder.

Om kwart voor zes hou ik het bijna niet meer uit. Ik heb de neiging de winkel op slot te doen en zo snel als ik kan ervandoor te gaan. Dit plan is echt link. Ik ben knettergek om op iemand te vertrouwen die ik niet ken. Wat moet ik doen als ze een mes hebben, of een knuppel... of een pistool?
Ik loop naar de grote glazen pot met hartjes, doe hem open en laat mijn handen over de snoepjes glijden. Ik heb buikpijn van de zenuwen.
'Moet ik nu weggaan?' fluister ik.
Alleen als het hartje nee zegt, blijf ik. Ik knijp mijn ogen dicht en pak er een. 'Zal ik ervandoor gaan?' vraag ik nog een keer.

O, nee... ik moet blijven. Met een trillende zucht ga ik weer zitten, het hartje in mijn plakkerige hand geklemd.
Ik ben al wel tien keer naar de wc geweest van de zenuwen en moet nu weer heel nodig, maar ik durf niet te gaan. Stel dat ze dan net binnenkomen? Ik tuur naar mijn horloge. Het lijkt alsof de wijzers stilstaan. Tien voor zes... Buiten is het donker geworden. Het gele licht van de straatlantaarns schijnt door de etalageruit heen.
Ik hou het niet meer op. Ik ren naar de wc, ruk mijn broek naar

beneden en plas. Het hartje valt op de grond. Op dat moment klingelt de bel. Ik slaak een onderdrukte jammerkreet en trek mijn broek omhoog. Daar zul je ze hebben. Wat moet ik doen? Hier heel stilletjes blijven zitten? Nee, als ik dat doe, mislukt het plan en roven ze de hele winkel leeg.
Mijn tanden klapperen van de zenuwen. Misschien zijn ze het niet, misschien zijn het gewoon klanten. Nog erger. De bel klingelt weer. Nu is de deur dicht.
In de wc hangt een klein spiegeltje. Ik kijk naar mezelf. Ik zie spierwit en mijn ogen zijn wijd opengesperd van angst.
'Beer! Doe het voor je moeder!' fluister ik. 'Zorg dat ze trots op je kan zijn!'
'Hé, is hier iemand? Vollek!' buldert een zware stem.
Ik verstijf. Ze zijn het.

Met trillende handen doe ik de wc-deur van het slot en met knikkende kauwgumbenen loop ik de winkel in. Ik sla mijn handen voor mijn mond en gil.
Mo heeft niet gelogen. Daar staan ze, alle drie met een zwarte bivakmuts op, met alleen een spleetje waar hun ogen zitten. Ze zien er doodeng uit. Ik heb opeens het gevoel dat ik in een verkeerde film beland ben.
Ik gil weer. De grootste jongen, Sven, loopt met drie stappen naar me toe, slaat zijn arm om mijn nek, draait mijn arm achter mijn rug om en sist in mijn oor: 'Ophouden met gillen, dikzak! Bek dicht, anders sla ik hem dicht!'
De kleinste jongen, Jim, loopt naar de kassa toe en rukt hem open. Mo blijft bij de deur staan. Hij vermijdt mijn blik.
Ik probeer me los te rukken, maar de greep om mijn nek wordt strakker.
'Au! Man! Blijf van me af, engerd! Laat me los!' gil ik met overslaande stem. Ik zie dat Mo bijna onmerkbaar van nee schudt.

Ik verslap. We hadden afgesproken dat ik niet tegen zou spartelen, maar het is moeilijk me niet te verzetten. Sven draait mijn arm een stukje verder om. 'Aaaau!' gil ik. Hij slaat zijn hand voor mijn mond. Getver, hij stinkt naar nicotine en nog iets. Ik heb de neiging er keihard in te bijten maar ik hou me in. Ik kan beter meewerken.
'Er zit hier niet veel in,' zegt Jim, met verdraaide stem. 'Dat kan het nooit allemaal zijn.' Hij graait het kleingeld uit de kassa en propt het in zijn zakken.
'Waar is de rest, moppie?' sist Sven en hij draait mijn arm nog verder om. Ik krijg het benauwd. Ik worstel om los te komen. Sven haalt zijn hand van mijn mond. 'Niet gillen!' sist hij met zijn gezicht vlak bij het mijne. Ik ruik zijn zweetlucht en zijn sigarettenadem. 'Au!' roep ik. 'Mijn arm! Je breekt mijn arm!'
'WAAR IS HET GELD?' brult Sven opeens keihard in mijn oor. Ik krimp in elkaar. 'In... in... in het geldkistje, in... de keuken... onder... onder het aanrecht,' breng ik er met moeite uit. De greep om mijn nek verslapt.
Sven gebaart met zijn hoofd naar Jim, die naar de keuken toe loopt. Ik zie dat Mo zenuwachtig naar buiten kijkt.
'S-schiet op, er k-komen... m-mensen!'
'Kop dicht, sukkel! Wat hebben we nou afgesproken?' brult Sven. 'Jij zou niet praten!'
Ik merk dat hij heel zenuwachtig is. Als hij daardoor maar geen gekke dingen gaat doen. Zoals mij vermoorden of zo.
'Schiet op met dat geld!' roept hij naar de keuken.
Jim komt tevoorschijn met het geldkistje. Hij rammelt er triomfantelijk mee.
'Waar is de sleutel?' gromt Sven in mijn oor. Ik probeer me los te rukken.
'Ik weet wie jullie zijn!' gil ik. 'Jullie waren hier laatst ook! Jullie zijn Sven en Jim en... Mo... Aaargh...'

Sven trekt zijn arm strak om mijn keel. Ik begin sterretjes te zien en zak door mijn knieën.
'Nou én, moppie... wat maakt dat uit? Als jij één woord loslaat over wie wij zijn, dan komen we terug, en zullen we ons eens lekker uitleven op jou... of op jouw lieve oom Rochel. Begrepen? En nou de sleutel, waar is hij?'
'In... in de kassa...' kreun ik. 'Onder... de geldla.'
Jim loopt er snel naartoe en pakt de sleutel.
Sven laat me los en ik val achterover op de grond en raak daarbij met mijn schouder de punt van de toonbank. Een lading snoep valt over me heen.
'Jullie vergeten één ding, stelletje lafbekken!'
Sven draait zich vlak voor de deur om en rukt zijn muts naar beneden. 'Wat dan, winkelbiggetje?' vraagt hij met een gemene grijns.
'Dat!!' gil ik en ik wijs naar boven.
Alle drie de hoofden keren zich omhoog. In de hoek van de winkel, gericht op de deur, hangt een camera. Een zwart oog, met een knipperend rood lampje ernaast.
Ik zie dat Jim en Sven verstijven.
'Shit!' gromt Jim.
'Hij staat rechtstreeks in verbinding met het politiebureau,' zeg ik met schorre stem en ik klauter overeind. 'De politie zal zo wel hier zijn! Volgens mij hoor ik de sirene al!'
'SHIT!' brult Sven. 'Wegwezen, mannen!' Hij smijt het kistje op de grond, rukt de deur open en rent ervandoor, met Jim en Mo op zijn hielen.
Ik strompel naar de deur en doe hem op slot. Het kistje raap ik op. Er zit een flinke deuk in. Balen, nu hebben ze de sleutel nog. Met trillende benen loop ik naar mijn stoel achter de toonbank en zak erop neer. Ik wrijf over mijn hals. Au... wat een rotzak. Ook mijn arm en mijn schouder doen flink zeer. Maar toch moet ik grijnzen als een idioot. Plan geslaagd!

# HOOFDSTUK 26

Als ik thuiskom, staat papa de afwasmachine in te ruimen.
'Jeetje Beer, wat ben je laat. Het is al bijna half acht. Ik was ontzettend ongerust. Waar was je?'
'Ik uuuh... ik was nog even naar de atletiekbaan toe.'
Ik gooi mijn rugzak neer, trek mijn jas uit en loop meteen door naar de gangdeur.
'Ho ho jongedame, waar ga je heen?'
'Naar boven.'
'Moet je dan niet eten? Ik heb wat voor je bewaard, zal ik het even opwarmen?'
Ik schud van nee. Papa pakt me bij mijn schouders. 'Beer, je ziet er vreemd uit. Wat is er gebeurd? Waarom wil je niet eten?'
'Niks,' zeg ik. 'Helemaal niks. Ik heb al een frietje gegeten in de kantine. Ik heb geen honger meer.'
Papa kijkt me ernstig aan. 'Beer, je doet raar de laatste tijd. Volgens mij verberg je iets. Kom op, vertel me wat er aan de hand is.'
'Ha! Moet je jezelf nou horen, pap! Wie verbergt er hier iets? Wie wil er nergens over praten. Jij toch zeker!'
Ik trek me boos los en ren de trap op.
Driftig draai ik de deur achter me op slot. Bijna meteen al heb ik spijt. Ik had niet zo lelijk tegen papa moeten doen. Hij was gewoon bezorgd en hij bedoelde het goed.

Ik vis het verkreukelde papiertje uit mijn zak, waar Mo's telefoonnummer op staat, maar ik kan niet bellen, want de telefoon ligt beneden, en een mobiel heb ik niet.
Ik zak neer op mijn bed en wrijf over mijn pijnlijke pols. Die is morgen blauw. Mijn schouder doet ook hartstikke zeer.
Er wordt zachtjes op mijn deur geklopt.
'NEE!' brul ik. 'Laat me met rust!'
'Beer! Mag ik even binnenkomen?'
Het is de stem van Pip.
'Nee, zeg ik toch! Ga weg!'
Ik laat me met mijn gezicht in mijn kussen vallen.
Jeetje, wat een dag. Wat een mazzel dat het nog zo goed is afgelopen. Ik denk niet dat ze nog terug zullen terugkomen, de schrik zit er vast nog goed in. Hoop ik dan maar. Hoe zou het met Mo zijn? Ik wil zo graag met hem praten. Horen hoe het verdergegaan is.
Ik grijp naar het fotoboek en haal er een foto van mijn moeder uit. Ze zit in een spijkerbroek en een wit T-shirtje op het strand, en ze heeft een boek op haar schoot. Ze kijkt in de camera met een hand boven haar ogen tegen de zon en ze lacht.
'Mama, ik ben heel dapper geweest vandaag,' fluister ik. 'Je had me moeten zien, mam! Je zou trots op me geweest zijn!'
Ik druk de foto tegen me aan en val met kleren en al in slaap.

Een poosje later schrik ik wakker. Er wordt weer geklopt. Het is half elf, zie ik op mijn wekker.
'Beer?'
Deze keer is het Sam.
'Beer, slaap je al?'
'Nee,' grom ik, 'nu niet meer. Wat moet je?'
'Beer, ik heb kleren voor je gekocht! Heel leuke!'

Ik ga rechtop zitten en stop de verkreukte foto onder mijn kussen. Het fotoboek leg ik weer onder op de stapel.
Au, alles doet pijn. Ik loop naar de deur en doe hem open.
'Wat zie jij er verkreukeld uit, zeg!' zegt Sam. Ze loopt langs me heen naar binnen en gooit een heleboel tassen op mijn bed. Dan kijkt ze me onderzoekend aan.
'Wat is er met jou aan de hand? Ik hoorde je schreeuwen tegen papa.'
'Niks,' zeg ik. 'Er is niks aan de hand. En ik ben daarnet gewoon met mijn kleren aan in slaap gevallen. Ik was moe.'
Sam kijkt me ongelovig aan en buigt zich dan over de tassen heen. 'Kijk eens wat ik voor je gekocht heb!'
Eén voor één haalt ze de kledingstukken tevoorschijn. 'Mooi, hè? En kijk eens naar deze spijkerbroek, hij heeft heel aparte zakken. Het is een soort skatebroek, die horen heel wijd te zitten, en ik heb er ook een riem bij. Lekker stoer. Zal je goed staan, Beer! Trek eens aan.'
'Moet dat nou?'
'Nou zeg, stank voor dank. Ik ben de hele middag bezig geweest met shoppen voor jou!' zegt Sam beledigd en ze houdt me een lichtblauw bloesje voor. 'Hier, en deze staat er vast heel leuk bij.'
Zuchtend begin ik mijn kleren uit te trekken.
'Pip heeft vanmiddag een enorme preek gehad,' babbelt Sam intussen. 'Er kwam geen einde aan. Papa is bij hem op school geweest. Hij spijbelt regelmatig, hij let niet op, maakt zijn huiswerk niet en hij heeft superslechte punten. En dan die rugzak. Op school wil hij hem ook niet afdoen. Er is echt iets aan de hand met hem, Beer, we moeten hem helpen!'
'O, stik, daarom wilde Pip dus met me praten.'
Ik voel me meteen heel rot. Heb ik hem nog afgesnauwd ook.
'Hé Beer, wat zit er op je schouder? Het lijkt wel een zuigvlek!'

Ik draai mijn pijnlijke nek om, maar ik kan het niet zien. Sam springt op en komt naar me toe. 'Wat heb jij nou uitgespookt?'
'Uuh... met atletiek... ik uh, ben gevallen...'
'Met atletiek. Beer, je hebt één ding over het hoofd gezien.'
'Wat dan?'
'Waar zijn je atletiekspullen dan? Je gympen, en je trainingspak, of wat je ook aandoet.'
Ik krijg een rood hoofd. 'Uh... in mijn rugzak.'
'En moeten die niet in de was? Ik doe de was hier in huis, weet je wel. En ik heb niks gezien, stinkerd! En je nek is ook rood, Beer.'
Snel bedek ik mijn hals met mijn handen.
Sam kijkt me grijnzend aan. 'Vertel op!'
Ik draai me om en ruk het bloesje over mijn hoofd.
'Er is echt niks te vertellen,' zeg ik. 'We... we hebben gewoon een beetje gestoeid.'
'Gestoeid? Met wie?' Sam barst in lachen uit. 'Beer, je gaat me toch niet vertellen dat je stiekem een vriendje hebt, hè?'
Ik buk me en trek de broek aan. Sam houdt me de riem voor.
'Nou?'
'Nee,' zeg ik.
'Volgens mij wel. Er is nog iets wat niet klopt. Normaal zit je constant met je neus in een boek, en nu niet meer. En je snoept niet meer.'
'Sam, hou op met vissen!' roep ik kwaad.
'Dus je hebt een vriendje, je hebt een vriendje!' Opgewonden klapt ze in haar handen. 'Jeetje Beer! Is hij knap? Hoe heet hij? Ken ik hem? Zit hij op school?'
'Sam, kop dicht!' Ik smijt de riem naar haar toe.
'Ha! Beer heeft verkering!'
'Niet waar!' gil ik. 'Mens! Hou nou op met plagen!'
'Sjjjt...' Sam legt haar vinger op haar mond. 'Niet zo hard...

Dadelijk hoort papa ons en hij heeft toch al een pesthumeur. Ik zal het echt tegen niemand zeggen, Beer. Echt niet. Mijn lippen zijn verzegeld.'

'Geloof je het zelf?' brom ik.

# HOOFDSTUK 27

De volgende ochtend sluip ik heel vroeg naar beneden, naar de telefoon, die in onze eetkeuken staat. Ik doe de deur achter me dicht.
Net als ik het nummer van Mo intoets, komt papa binnen.
'Zo Beer, jij bent er vroeg bij!' Hij kijkt naar de telefoon, trekt veelbetekenend een wenkbrauw op en grijnst.
'Wat bedoel je? Jíj bent vroeg!' Dan hoor ik boven de wc doortrekken. Sam is dus ook al op. Stik!
'Hoe heet hij?' vraagt mijn vader lachend.
Ik werp hem een woedende blik toe en stampvoet met de telefoon naar boven.
'Sam, bedankt!' gil ik en ik smijt mijn kamerdeur achter me dicht.

De telefoon gaat eindeloos over. Ik kijk zenuwachtig naar de klok. Ik moet nog douchen, ontbijten en me aankleden. Ik heb mijn nieuwe kleren klaargelegd op mijn bed. Sam heeft echt heel blitse dingen uitgezocht. Ik ben benieuwd of Mo ze leuk vindt.
'Neem nou op, neem nou op!' sis ik tegen de telefoon. Ik heb ongeveer al twintig keer gebeld. Ik lijk wel gek, maar waarom neemt hij nou niet op?

Ik loop naar de hartjespot en fluister: 'Vindt Mo mij leuk?' Ik krijg helemaal zenuwkriebels in mijn buik als ik het hartje omdraai.

Ja, dat ben ik toch al aan het doen, maar hij neemt niet op! Ik pak er nog een.

Ik geef een kreet en spring met het hartje in het rond.
'Hallo? Hallo!' klinkt het opeens slaperig door de telefoon.
Oeps, ik was vergeten dat hij nog overging.
'Mo? Ben jij het?'
'Ja, w-waarom fluister je?' fluistert Mo terug.
'Omdat mijn zus waarschijnlijk met haar oor tegen de deur staat. Het ging goed, hè, gisteren?'
'Nou, ja... g-goed...'
'Je bent geweldig, Mo! Bedankt!'
'Ja...'
'Mo, kom je vanmiddag naar de winkel? Heeft je vader de camera nog niet gemist?'
'N-nee... nog niet. Maar hij moet wel zo snel m-mogelijk terug.

Als hij merkt wat ik gedaan heb, v-vermoordt hij me. Maar i-ik kom liever even niet in de b-buurt van de winkel, Zwaan.'
Ik bloos omdat hij Zwaan zegt. Het klinkt zo lief.
'Wat doen we dan? Zal ik hem eraf halen?'
'Kun je dat dan?'
'Ja, ik denk het wel. Ik heb goed gekeken hoe je hem ophing.'
'Je kunt hem met een s-schroevendraaier losmaken. En g-gewoon de stekker uit het stopcontact halen.'
'Oké... maar waar spreken we dan af?'
'Uuuh...' Mo's stem klinkt schor en hij praat onduidelijk.
'B-bij het ziekenhuis? B-bezoekuur vanmiddag?'
'Goed,' zeg ik, 'ik zal oom Ranja nog een keer proberen te bellen, kunnen we meteen bij hem op bezoek. Ik ben om half twee al uit, jij?'
'Ik zal er zijn,' zegt Mo en hij hangt op.

'Jeetje Mo! Wat zie jij eruit!'
Ik schrik me een ongeluk als ik hem de draaideuren van het ziekenhuis door zie komen.
Hij heeft een blauw oog, een pleister over zijn wenkbrauw en een opgezwollen donkerpaarse lip.
'Wat is er gebeurd? Heeft... dat heeft je vader toch niet gedaan?'
Mo gaat zitten op een bank in de grote hal.
Ik kijk hem ongerust aan en raak heel voorzichtig de pleister aan.
'I-ik b-ben g-gisterenavond hier ook geweest, bij de E-EHBO,' zegt Mo, zonder me aan te kijken. 'D-drie hechtingen.'
'Maar wie, wat... Als je vader dat gedaan heeft dan...' Ik voel dat mijn bloed begint te koken.
'Nee, het was niet mijn v-vader. S-Sven en J-Jim.'
'Sven en Jim! Waaróm?'
Mo graaft in zijn zak en drukt me iets in mijn hand. Het is de

sleutel van het geldkistje. 'Hierom. En omdat ik g-gepraat had in de winkel, en ik ons d-door mijn g-gestotter verraden heb.'
'O, wat geméén. O, wat een akelige rotzakken! Alsof ik hún stem niet herkende! Ik zal ze... je moet naar de politie gaan, Mo!'
'D-dat kan toch helemaal niet, Zwaan. Ik ben ook g-geen b-brave jongen. En d-dan vermoorden ze me helemaal.'
Ik staar verbluft voor me uit.
'M-maar het heeft ook zijn v-voordeel, hoor,' zegt Mo met een scheve grijns.' Ik m-mag niet meer m-meedoen. Z-ze hoeven me niet meer.'
'Echt niet? Wauw, maar dat is goed!' zeg ik. 'Ben je mooi van ze af!'
Mo haalt zijn schouders op. 'Ik betwijfel het,' mompelt hij.
'Waarvoor heeft jouw vader eigenlijk zo'n beveiligingscamera?' vraag ik.
'Hij is t-tandarts en hij hangt buiten de d-deur van de p-praktijk, zodat de assistente k-kan zien wie er aanbelt.'
'Waarom?'
'Er is wel eens een z-zwerver binnengekomen. En ook een k-keer een inbreker die d-dacht dat er geld was.'
'Is hij tandarts! Echt? Dat meen je niet!'
Mo kijkt me verbaasd aan. 'Jawel. Is d-dat zo'n gek beroep?'
'Nee,' zeg ik. 'Vandaar je beugel dus.'
Mo grijnst met een pijnlijk gezicht. Hij drukt zijn vinger tegen zijn mond aan. 'Ja, ik heb hem al bijna drie jaar. Mijn t-tanden moeten perfect. N-net zoals de rest van mij. Alleen l-lukt dat niet zo.'
'Wat dan? Omdat je... omdat je verkeerde vrienden hebt?'
Mo staart naar zijn handen. Ik zie dat de bovenkant van zijn linkerhand geschaafd is. En zijn nagels zijn helemaal afgebeten.
'Dat ook. En omdat ik s-stotter en o-omdat ik niet kan leren. En ik ben een slappeling...'

'Niet waar, dat moet je niet van jezelf zeggen,' zeg ik fel. 'Hou daar nou eens mee op. En je stottert helemaal niet zo erg, hoor.'
'Ik d-doe het alleen als ik z-zenuwachtig ben.'
'Ben je dat nu dan?'
Mo haalt verlegen zijn schouders op.
'Stotter je al je hele leven?'
'Ik w-weet niet. S-sinds ik me kan herinneren.'
Mo kijkt nu heel treurig.
'Ik vind het niet erg, hoor. Ik vind het wel leuk.'
'Je bent gek. Het is a-achterlijk. Dat vindt mijn v-vader ook. Hij vindt mij een loser.'
'Zegt hij dat dan tegen je?'
'Nee... M-maar ik zie aan alles d-dat hij zo over me d-denkt. Weet je... H-hij is de enige uit zijn f-familie die gestudeerd heeft en d-daar is hij heel trots op. Ik heb twee oudere b-broers en die zijn s-super s-slim. Richard studeert m-medicijnen en Albert is advocaat. Ik k-krijg h-heel mijn leven al te h-horen: je bent dom, je bent l-lui, werk nou eens wat harder. En mijn broers pestten me altijd t-toen ze n-nog thuis woonden. N-nu zijn ze g-gelukkig opgehoepeld.'
'Tjeetje, dan ben jij dus echt een nakomertje!'
Mo knikt somber. 'Een ongelukje, waarschijnlijk!'
'Ach, vast niet, joh!' Ik heb de neiging om hem vast te pakken en te knuffelen, maar ik durf niet. 'Op wat voor een school zit je nu?' vraag ik dus maar.
'Vmbo, in de vierde. Ik zat eerst op het vwo, maar daar m-moest ik van af. Mijn vader w-was laaiend. Ik ben de enige over wie hij niet k-kan opscheppen. Hij s-schaamt zich voor mij.'
'Wat een zak. Jij kunt er toch niks aan doen?'
'S-Sven en Jim... die waren wel aardig tegen me... in het begin dan.'

Mo kijkt nu bitter. 'Maar dat was d-denk ik omdat ik veel zakgeld k-krijg. Ze hebben altijd geld nodig. Voor drank en wiet en dure s-spullen.'
Mo staat abrupt op. 'Zo, nou w-weet je alles. N-nou wil je vast niks meer met me te maken hebben. Mag ik die c-camera terug, dan ga ik.'
Ik grijp zijn hand en trek hem terug op de bank.
'Mo, ik wil wél met je te maken hebben. Jij bent niet zoals Sven en Jim. En je moet niet zo slecht over jezelf denken. Niemand is perfect. Ik ook niet.'
Mo staart voor zich uit. Ik zie dat er tranen in zijn ogen staan.
'Ik begrijp wel hoe je je voelt, hoor,' zeg ik. 'Ik heb ook vaak een hekel aan mezelf.'
Mo kijkt me verbaasd aan. 'W-waarom? Waarom zou jij nou een h-hekel aan jezelf moeten hebben?'
Ik bloos en friemel aan een knoop van mijn nieuwe bloes.
'Als er iemand een slappeling is, ben ik het wel. Ik ben een vreetzak. Ik ben dik en lelijk. En ik stink.'
'Maar je b-bent helemaal niet dik en lelijk! En hoe k-kom je erbij dat je stinkt?'
Ik bijt hard op mijn lip. 'Ik zweet heel erg als ik zenuwachtig ben, en als ik me inspan... en ik... ik ben bang dat iedereen dat ruikt. Deo helpt nauwelijks en...'
Mo pakt mijn hand. 'Dat is heel normaal, hoor, dat doet iedereen. Zwaan, je bent niet lelijk... ik... vind je juist leuk, en s-stoer en... en slim. En je bent niet bang. Je bent hartstikke dapper. En... je ruikt juist l-lekker!'
'Ja, hou nou maar op,' zeg ik, met een hoofd als een tomaat. Ik sta abrupt op. 'Ik heet trouwens helemaal geen Zwaan.'
'Niet? Hoe dan?'
'Ik heet Beer.'

Mo barst in lachen uit en grijpt meteen naar zijn lip. Er springen een paar bloeddruppels uit de opengesprongen snee. 'Heet je Beer?'
'Ja, Berenice Aurora, om precies te zijn.'
'Ik l-lach je niet uit, hoor, ik v-vind Beer een l-leuke naam. Mijn n-naam is pas dom.'
'Mo? Dat is toch een heel normale naam? Mo, van Mohammed, zeker?'
'Nee... van Nemo.'
'Wat?'
'Nemo heet ik. Idiote naam.'
Ik ga weer zitten. 'Helemaal niet!' zeg ik enthousiast. 'Gaaf juist! *Finding Nemo*, dat was zo'n leuke film! En er is nog een beroemde Nemo. Ik heb thuis een heel dik boek van Little Nemo. Hij stond vroeger in *The New York Times*. Ik zal ze je wel eens laten zien! Hou je van boeken?'
Mo kijkt me aan en haalt zijn schouders op. 'W-wel van boeken... maar niet van l-lezen.'
'O,' zeg ik een beetje teleurgesteld. 'Maar *Little Nemo* is een stripverhaal, daar staat niet veel tekst in. En prachtige tekeningen, joh. Je mag hem wel lenen.'
Ik kijk op mijn horloge. 'Zullen we nu naar oom Ranja gaan? Dadelijk is het bezoekuur voorbij.'
Mo staat op. Dan steekt hij zijn hand in zijn jack. 'Hé, trouwens, ik heb dit gevonden. Volgens mij is deze van jou.'
Mo steekt een foto naar me uit. Het is de foto van mijn moeder. Blij pak ik hem aan. 'Hoe wist je dat ie van mij was?'
'D-dat was makkelijk. Omdat ze op je lijkt,' zegt Mo.
Ik word helemaal warm vanbinnen. 'Echt waar?'
Mo knikt. 'Is het je m-moeder, toen ze jong was?'
Ik strijk over de vergeelde foto. 'Ja... Ze heette... ze heet Barbara.'

'Kun je goed met haar opschieten?'
Ik haal diep adem. Ik weet opeens niet wat ik moet zeggen. 'Ze is... ik weet het niet.'
'Wat weet je niet?'
'Ze... ze is er niet meer.'
'Zijn je ouders gescheiden?'
'Nee...'
Ik kijk Mo aan. Zal ik hem alles vertellen? Ik voel in de zak van mijn nieuwe broek. Hij zit lekker ruim en ik heb er vanmorgen een handvol hartjes in gestopt.
Ik aarzel. Als ik hem alles vertel, denkt hij misschien wel dat ik gek ben, omdat ik me in mijn hoofd heb gehaald dat ze nog leeft. Maar aan de andere kant wil ik zo graag met iemand over haar praten.
Mo kijkt me vragend aan. 'Wacht even,' zeg ik. Ik draai me om en pak gauw een hartje. Zal ik het vertellen? vraag ik in mijn hoofd.
Ik schrik. Dit hartje trek ik bijna nooit.

Wat zou dat nou weer betekenen?

# HOOFDSTUK 28

‘Wat doe je?’ vraagt Mo nieuwsgierig.
Ik draai me om en stop het hartje gauw terug in mijn broekzak.
‘Niks,’ zeg ik blozend, ‘ik keek even op een papiertje waar oom Ranja ook alweer lag. Kom, we moeten rennen.’
‘Weet je nu d-dan wel waar hij ligt?’
Ik knik. ‘Ja, ik heb gisteren met hem gebeld.’
‘Zeg, ik... ik g-ga niet mee.’
‘Wat?’
Mo schuifelt nerveus met zijn grote gympen. ‘Hij zal het n-niet bepaald op p-prijs stellen om mij te z-zien.’
‘Waarom niet?’
‘W-wij zijn wel v-vaker in zijn winkel geweest. Om s-snoep te j-jatten. En Sven heeft hem een k-keer uitgescholden.’
‘O,’ zeg ik beteuterd. ‘Maar... maar je kunt toch je excuses aanbieden? Zeggen dat je het nooit meer zult doen?’
‘Dat d-durf ik niet. S-sorry, Zwaan. Ik moet nu g-gaan, ik moet die c-camera terug op zijn plek krijgen.’
Ik merk dat ik heel teleurgesteld ben. ‘Heeft de assistente het dan nog niet gemerkt?’ vraag ik. ‘Zij kijkt toch elke keer als er iemand aanbelt?’
‘Die h-heb ik omgekocht,’ zegt Mo. ‘Wij zijn vrienden. Maar als mijn v-vader het merkt b-ben ik de k-klos.’
‘Oké dan,’ zeg ik. In een opwelling pak ik een hartje uit mijn zak.

'Hier, een snoepje voor onderweg. Wat staat erop?'
Mo pakt het aan en bloost als hij het leest.

Ik grinnik. 'Nou... dag... Nemo.'
'D-dag Zwaan-Beer... vertel je l-later een keer v-van je moeder?'
Ik bloos en knik.

Oom Ranja ligt met twee dames op een kamer. Hij zit met een opgewekt gezicht rechtovereind in bed en heeft een verband om één oog. Als ik binnenkom, zwaait hij naar me. 'Zwaantje! Wat leuk dat je er bent! Hoe is het met je? Wat zie je er weer stralend uit, schat! Gaat alles goed met oom Ranja's winkel?'
'Heel goed,' zeg ik. 'Ik heb zoveel verkocht dat u bijna miljonair bent.'
Ik haal een grote zak snoep en een doos bonbons uit mijn rugzak en leg ze naast oom Ranja op bed neer.
'Goed zo, kind, goed zo.' Oom Ranja maakt de doos met trillende handen open en geeft hem aan me terug. 'Ga daar maar even mee rond, moppie. Jongedames, dit is nou Zwaan, over wie ik zoveel verteld heb. Ze is als een dochter voor me.'
Als ik uitgedeeld heb, hou ik oom Ranja de doos voor, maar met een spijtig gezicht schudt hij zijn hoofd en klopt hij op zijn dikke buik.
'Nee nee Zwaantje. Ik hoef niet. Nou, vooruit, eentje dan. Stiekem. Niet zeggen tegen de verpleegster, hoor! Oom Ranja mag niet zoveel meer snoepen, heeft de dokter gezegd.'
'Door die suikerziekte?'

Oom Ranja knikt en bijt met een verzaligd gezicht een witte bonbon doormidden.
'Hé oom Ranja! U bent niet meer doof!' Ik zie opeens dat hij een gehoorapparaatje in zijn oor heeft.
'Ja ja,' zegt oom Ranja. 'Van de dokter gekregen. Maar wat een herrie. Ik doe hem soms ook uit, hoor. Lekker rustig.'
'Ik heb het al zo vaak gezegd, dat u er een nodig had!'
'O, ja? Echt waar? Nou, dat heb ik dan niet gehoord, hoor!'
Ik kijk verlangend naar de doos.
'Neem je zelf niks lekkers, kind?'
'Nee, ik ben aan de lijn.'
'Maar Zwaan toch. Op jouw leeftijd! Je ziet er juist zo gezond uit! Al die magere bonenstaken van tegenwoordig, daar houden mannen niet van, hoor!'
Ik bloos. 'Wanneer mag je naar huis?'
'Overmorgen,' zegt oom Ranja. 'Ik krijg pilletjes voor de suiker en ze moeten nog even kijken of alles nu in orde is. En of de kauwgumbal goed blijft zitten!' Hij wijst naar zijn verbonden oog.
'Doet het pijn?'
'Nee, hoor, het was een fluitlolly van een cent! Morgen mag het verband eraf en dan kan ik deze jongedames hier eens goed bekijken!'
De twee dames, die allebei ruim over de tachtig zijn, giechelen als jonge meisjes.
'En dan moet ik over een paar maandjes nog een keer, voor het andere oog.'
'O, goed,' zeg ik. 'Dan kan ik weer winkelbiggetje spelen!'

# HOOFDSTUK 29

'Beer, wat ben je toch weinig thuis,' zegt Sam beschuldigend als ik binnenkom. Ze staat aan het aanrecht aardappels te schillen. Ik zie aan haar gezicht dat er iets mis is.
'Wat is er aan de hand? Waar is iedereen? Waarom kook jij?'
'Papa zit boos op zijn kamer, en Pip ook. Ze hebben enorme ruzie gehad. Om school en om Pips rugzak. Papa probeerde hem van Pips rug af te trekken en toen heeft Pip hem een schop gegeven en daarna is hij huilend naar boven gerend.'
'Papa?' vraag ik geschrokken.
'Nee, Pip. Je had papa moeten zien. Er kwam zowat rook uit zijn oren. En toen belde Isabel en papa schreeuwde in de hoorn: "Isabel, nee, het kan niet!" En toen gooide hij neer.'
Au!' Sam gooit het mes neer en steekt haar vinger in haar mond. 'En nou heb ik me nog gesneden ook. Stomme rotaardappels! Ik moet ook altijd alles alleen doen!'
Ze heeft tranen in haar ogen.
Ik loop naar de la en pak de verbandtrommel eruit.
'Dat hoef je helemaal niet, Sampie,' zeg ik, terwijl ik een pleister om haar vinger plak.
'Ik help je wel.'
'Niemand vertelt mij iets,' snikt Sam. 'Iedereen heeft geheimen, behalve ik.'
Ik giechel.

'Lach me niet uit!' roept ze gekwetst.
'Ik lach je niet uit,' zeg ik en ik geef haar een knuffel. 'Het klonk mal. Alsof geheimen hebben leuk is.'
'Is het dat dan niet?' Sam haalt luidruchtig haar neus op en veegt haar tranen met haar mouw weg. Er lopen zwarte strepen van de mascara over haar wangen.
'Wat is jouw geheim dan? Heb je nou een vriendje of niet?'
Ik pak het aardappelmes en begin ook te schillen, om me een houding te geven.
'Nou?'
'Nee... niet echt,' zeg ik. 'Maar... er is wel een jongen die ik leuk vind.'
Sam is opeens haar verdriet vergeten. 'Echt waar Beer? Hoe heet hij?'
'Mo,' zeg ik. 'Nemo.'
'Nee Mo?'
'Nee, Nemo.'
'Ooo,' zegt Sam giechelend. 'Nemo. Wat een aparte naam. Hoe ziet hij eruit en hoe ken je hem en hebben jullie al gezoend?'
'Nee!' zeg ik. 'We hebben niet gezoend. Hij is wel heel knap. Donker haar, met blauwgroenige ogen.'
'Wauw!' zegt Sam. 'Beer! Jij bent de eerste van ons drie! Wie had dat gedacht?'
'Ik in ieder geval niet,' zeg ik grijnzend. 'Maar misschien wordt het wel helemaal niets, hoor.'
'Vindt hij jou ook leuk?'
'Weet ik niet.'
'Dus nog niet gezoend,' probeert Sam weer. 'Handje vastgehouden?'
'Neehee!'
'En dat atletiekverhaal?'
'Een smoes,' zeg ik met een rood hoofd.

'Als ik het al niet dacht. Jij en atletiek!'
'Maar ik ga misschien wel iets aan sport doen, hoor. Ik wil afvallen.'
'Je meent het!' zegt Sam ongelovig.
'Ja,' zeg ik. 'Ik heb al drie dagen niks meer gesnoept.'
'Wauw, knap zeg! Maar... maar waar hang je dan de hele tijd uit, na school?'
Ik denk na. Zal ik het haar vertellen? Waarom ook niet? Ik vind het eigenlijk best leuk om mijn zus aan oom Ranja voor te stellen.
Maar als Sam Mo ontmoet, misschien vindt hij haar dan wel veel leuker dan mij. Ze is veel knapper dan ik... Maar aan de andere kant... er lopen overal knappe meisjes rond.
'Joehoe!' Sam zwaait met haar hand voor mijn ogen.
Zal ik haar van oom Ranja vertellen? denk ik weer. 'Voel eens in mijn zak,' zeg ik. 'Ik heb vieze aardappelhanden.'
'Waarom?'
'Daarom, doe nou maar.'
Sam graait in mijn zak. 'Er zitten snoepjes in.'
'Pak er maar een. Wat staat erop?'
Sam draait het hartje om. 'Er staat op: Ja!' Ze stopt het meteen in haar mond.
'Niet waar, je liegt! Laat kijken!' zeg ik. Sam steekt haar tong uit met het hartje erop.

'Ik kan het niet zien,' zeg ik. 'Stond dat er echt?'
Sam knikt met grote eerlijke ogen. Ik weet nooit of ze me voor de gek houdt of niet. Ze weet toch niets van mijn hartjes af? Of wel?
'O, jij bent echt erg,' zeg ik. 'Goed, ik vertel het. Ik heb een bijbaantje, als winkelbiggetje, in een snoepwinkel.'

Als ik Sam van oom Ranja en de winkel, en ook van de overval verteld heb, kijkt ze me vol ontzag aan.
'Jeetje Beer, wat dapper van je. Daarom had je die blauwe plekken. Goh, dat zou ik nou nooit durven. Was je niet bang?'
'Jawel. Best wel.'
'Beer, ik ben echt supertrots op je! Mag ik morgen mee winkelbig spelen?'
'Jij bent meer een winkelkrielkipje,' zeg ik lachend.
'En wanneer kan ik je vriendje bewonderen?'
'Rustig aan, joh, hij is mijn vriendje niet.'
'Wanneer zie je hem dan weer?'
'Dat weet ik niet,' zeg ik.
'Heb je dan geen afspraak gemaakt?' Sam kijkt me aan alsof ik geschift ben.
'Nee,' zeg ik. 'Hij heeft mijn telefoonnummer niet, ik het zijne wel.'
'Dom, dom, dom! Meisjes moeten niet achter jongens aan lopen,' zegt Sam hoofdschuddend. 'Dat staat in alle tijdschriften. Weet hij wie je bent?'
'Hoe bedoel je?'
'Weet hij wie papa is?'
'Nee,' zeg ik. 'Volgens mij niet.'
'Echt niet? Wat een wereldwonder,' zucht Sam. 'Jeetje Beer, ik ben jaloers op je! Wat maak jij veel mee! Je hebt echt een superinteressant leven!'
Ik knik glunderend.

# HOOFDSTUK 30

'Eten!' roep ik naar boven. Er komt geen reactie.
Ik storm de trap op en sta stil voor papa's deur. Er zit een geel briefje op geplakt.
*Niet storen*, staat erop.
'Nou gezellig,' mompel ik. Ik ren door naar boven.
Ook op Pips deur zit een briefje. Dat is ietsje onvriendelijker.
*Zusen en ander gezpuis biuten bleiven!* staat erop.
Pip heeft de muziek keihard aanstaan. *Het Zwanenmeer*, van Tsjaikovski. Ik klop op de deur, maar er komt geen reactie.
'We zullen met zijn tweeën moeten eten,' zeg ik als ik weer beneden ben.
Sam kijkt teleurgesteld naar de grote pan zuurkool.
'We moeten iets doen, Beer,' zegt ze. 'Ik vind het zielig voor ze. Zullen we met Pip proberen te praten?'
Ik knik. 'Goed. Dat wilde hij gisteren al, maar toen wilde ik niet... Daar heb ik nu spijt van...'
Samen rennen we naar boven.
Sam klopt op de deur. 'Pip! Eten! Ik heb gekookt. Zuurkool, heel lekker.'
Geen reactie.
Ik bons op de deur. 'PIP! Doe eens open! Het spijt me van gisteren. Ik zal nu wél aardig doen.'
Geen reactie. Alleen de klanken van *Het Zwanenmeer*.

'Dat draait hij nou al urenlang, ik word er gek van,' zegt Sam. Ze bonkt nog een keer hard op de deur.
'Pip! Doe niet zo flauw, je hoort ons best. Doe nou open!'
Geen antwoord. We kijken elkaar ongerust aan.
'Dit is niet normaal,' zegt Sam.
'Misschien slaapt hij.'
'Met deze herrie? Geloof jij dat?' Sam bijt zenuwachtig op haar zwartgelakte nagels. 'We moeten iets doen, dadelijk is er iets gebeurd...'
'Wat dan?'
'Nou, weet ik veel.'
'Pip doet heus niks geks, hoor.'
'Je weet het niet,' zegt Sam. 'Laatst op tv zag ik...'
'Hou op over die stomme tv.'
Ik bons nog een keer. Ik begin nu toch ook ongerust te worden.
'Beer... uh... ik moet je iets bekennen.'
Ik draai me om en kijk Sam vragend aan.
'Ik uh...' Sams gezicht wordt rood en ze draait haar vingers om en om in een pluk haar.
Ik kan aan haar schuldige gezicht zien dat ze iets uitgespookt heeft.
'Wat is er dan?'
'Ik heb iets ontdekt...'
De schrik slaat me om het hart. 'Je gaat toch niet zeggen dat je op mijn kamer geweest bent, hè?'
Sam durft me niet aan te kijken en knikt.
'Maar... maar hoe kan dat? De deur is toch op slot als ik er niet ben?'
Sam graaft in haar broekzak en haalt er een sleutel uit. 'Sorry Beer, het spijt me... maar ik heb gewoon toevallig ontdekt dat mijn sleutel op alle slaapkamerdeuren hier in huis past.'
'Toevallig, ja ja!' roep ik boos. 'En wat heb je op mijn kamer gedaan? Wat had je er te zoeken?'

'Ik uh... ik... Mijn maandverband was op, en ik wilde wat van jou lenen.'
'Pffft! Smoes! Je zat gewoon weer te neuzen. Nieuwsgierig monster dat je bent!'
Ik kijk haar onderzoekend aan. Ik durf niet te vragen of ze de foto's gezien heeft. Misschien is het niet zo. Wat ben ik blij dat ik ze steeds teruggestopt heb in het boek.
'Wat is er?' vraagt Sam ongemakkelijk en ze friemelt aan haar riem.
'En wat heb je verder op mijn kamer uitgespookt?'
'Niks...'
'Gewoon even gezellig rondgekeken?'
Opeens houdt de muziek in Pips kamer op. Sam bonkt meteen op de deur, blij van mijn priemende blik verlost te zijn.
'Pip! Doe eens open!'
Geen antwoord. De muziek begint weer. Dezelfde muziek als daarnet.
'Maak de deur maar open, Sam,' zeg ik. 'Dit is inderdaad niet normaal.'
Sam steekt de sleutel in het sleutelgat en duwt de deur open. We kijken rond. Er is niemand.
Ik loop naar Pips geluidsinstallatie. Het is een groot oud bakbeest dat hij van papa gekregen heeft. 'Hij staat op repeat.'
'Pip?' roept Sam en ze knielt voor zijn bed neer, dat natuurlijk voor het Boze Bos staat.
'Goh, wat is het hier schoon. Maar geen Pip.'
Ik ruk zijn kleerkasten open. Ze zijn bijna leeg, er liggen alleen een paar stapels keurig opgevouwen T-shirts, truien en broeken.
'Hij is er niet. Hoe kan dat nou?'
Verbaasd kijken we elkaar aan.
Dan kijk ik de kamer weer rond en snuif. 'Er is iets geks aan de hand, maar ik weet niet wat.'

'Ruik je iets?'
'Nee, ik ruik iets níét. Normaal ruikt het hier altijd naar verf. En nu nauwelijks.'
'En er staan ook geen verfpotten voor het bos,' zegt Sam.
We lopen allebei naar de muur toe en bekijken hem nauwkeurig.
'Zie jij nog nieuwe dingen?' vraag ik.
Sam schudt haar hoofd. 'Nee, nu je het zegt. Maf, hè?'
'Ja,' zeg ik. 'Normaal schildert hij er elke dag wel iets bij. Hé, hier is wél iets veranderd!'
Ik wijs naar een donker gedeelte waar onze vader in het gras zit, met zijn rug tegen een boom aan, en op zijn schoot een wit vel papier.
'Dat was er toch al?' Sam komt naast me staan.
'Jawel, maar nu zit hij te schrijven en eerst deed hij dat niet!'
'Ja, dat is waar.' Sam probeert me opzij te duwen. 'Wat staat erop?'
'Ik kan niet lezen wat er staat, het is te priegelig. Maar het is een brief,' zeg ik. 'Kijk, daar ligt een envelop in het gras.'
'Ik snap dit niet,' zegt Sam en ze krabt in haar haar, dat stijf staat van de gel. 'Waarom zou hij dit geschilderd hebben? Zou het met Isabel te maken hebben?'
Ik haal mijn schouders op. 'Geen idee. Maar waar is Pip nou? We moeten hem gaan zoeken.'
'Ja. Maar laten we papa er maar even buiten laten,' zegt Sam. 'Hij is echt heel kwaad op hem.'
'Oké,' zeg ik. 'Niet hard roepen dus.'
We rennen naar beneden en trekken de ene deur na de andere open. We hebben een heel groot oud huis, met een heleboel ongebruikte kamers. Maar Pip is nergens te vinden.
'Zou hij buiten zijn? Misschien is hij aan het wandelen,' zeg ik buiten adem. Ik moet echt iets aan mijn conditie doen.
'Toch niet in het donker!' zegt Sam.

'Misschien zit hij bij het zwembad naar de zwanen te kijken of zo.'
Sam rent naar de voordeur en trekt hem open. Een koude wind waait naar binnen, samen met wat dorre bladeren. We turen de donkere tuin in. Ik sla mijn armen om me heen en ril.
Sam loopt het tuinpad op, haar tengere gestalte verdwijnt in het donker alsof ze oplost.
'Sam!' roep ik zachtjes. 'Kom terug! Hij is hier echt niet!'
'Pip?' hoor ik haar roepen. 'Pip? Ben je hier ergens?'
'Sam,' roep ik weer. 'Kom nou! Het is steenkoud!'
'Beer! Kom eens!' roept Sam opeens. 'Volgens mij brandt er licht in de schuur!'

# HOOFDSTUK 31

De ramen van de oude schuur zijn gebarsten en vies, en zitten vol spinnenwebben. Er hangt aan de binnenkant iets voor, maar door een spleetje schijnt licht. Sam staat op haar tenen en probeert naar binnen te kijken.

Ik trek aan haar arm. 'Ik vind het eng. Zou Pip in het schuurtje zijn? En wat doet hij daar dan?'

'Misschien zit er wel een zwerver in,' fluistert Sam.

'We kunnen beter papa erbij halen!'

'Nee hoor. Jij bent toch zo dapper, Beer, kom op! We pakken gewoon iets waarmee we kunnen meppen. Zie jij iets bruikbaars?'

Ik kijk klappertandend om me heen. 'Hier gaat het wel mee.' Ik ruk een verroeste schep uit de grond.

'Oké, ik zal wel eerst gaan.' Sam duwt de klink van de oude scheefgezakte deur naar beneden. Hij kraakt, maar gaat niet open.

'Hij zit op slot,' sis ik. 'Kom Sam, we gaan terug. Het bevalt me helemaal niks.'

Ik kijk omhoog. Boven me zwiepen de hoge bomen in de wind, dorre bladeren vliegen in het rond en er kraakt van alles. Het lijkt Pips Boze Bos wel.

'Nee, hij is niet op slot, hij klemt gewoon,' zegt Sam. 'Hier, hou die schep even vast.'

Ze zet haar schouder ertegenaan en geeft een harde duw. De deur schiet open en Sam valt met een gil naar binnen.
Ik overwin mijn angst en stap ook de schuur in, de schep in de aanslag. Met open mond kijken we rond.
Pip staat achter een schildersezel met een palet in zijn ene en een penseel in zijn andere hand. Er zit een blauwe veeg op zijn neus en hij kijkt ons woedend aan. 'Sam, Beer, wat moeten jullie hier?'
Ik duw de deur achter me dicht en kijk vol verbazing om me heen. Overal staan en hangen schilderijen. Een oude tafel naast Pips ezel is bezaaid met tubes verf, paletten, penselen, potten water en verfrommelde doeken. Tegen een poot van de tafel ligt zijn rugzak. Ernaast staat een straalkacheltje. In een hoek staan alle tuinspullen slordig opgestapeld.
'Kan ik beter aan jou vragen!' zegt Sam.
'Dus dit is je geheime atelier!' zeg ik en ik loop langs de schilderijen. Het zijn voornamelijk portretten. Ik herken mezelf, en Sam, en Isabel, en papa, maar het zijn voornamelijk zelfportretten van Pip. Sommige zijn in heel koude donkere blauwtinten geschilderd, met priemende ogen die je recht aankijken. Sommige zijn abstract en vervormd. Andere zijn warm van kleur en vrolijker.
Pip smijt zijn kwast en palet op tafel neer. 'Ga weg. Kunnen jullie me nou nergens met rust laten? Donder op! Dit is mijn plek! Helemaal van mij alleen.' Hij doet een stap naar achteren en probeert met zijn lichaam het schilderij waar hij mee bezig is af te schermen.
'Gezellig huisje heb je hier gemaakt, Pip!' zeg ik. 'Lekker warm ook. Wat heb je veel geschilderd! Mooie portretten, zeg! Ze lijken echt goed! Ik wist niet dat je dat ook al kon!'
Sam loopt naar hem toe. 'Waar ben je nu mee bezig? Mag ik het zien?'

'Nee, ga weg,' zegt Pip.
Sam duwt hem opzij. 'Hé, toe nou. Wie is dat? Die ken ik niet.'
Pip probeert Sam weg te trekken, maar het lukt hem niet. Ik ga naast haar staan en bekijk het schilderij. Het is een portret van een vrouw.
'Wie is dat?' vraagt Sam nog een keer.
Ik hou mijn adem in. De vrouw... ze lijkt op mij... en ook op Sam... En een beetje op Pip. Een soort kruising van ons drieën.
Ik staar naar het schilderij, dan draai ik me om naar mijn broer.
'Ik weet wie dat is,' zeg ik. 'Maar... ze... ze heeft geen blauwe ogen, Pip. Ze zijn bruin.'
Sam kijkt me niet-begrijpend aan. Pips ogen worden groot.
'Wat... hoe weet je...'
Ik haal de foto uit mijn zak en geef hem zonder iets te zeggen aan mijn broer.
'Laat zien, wat is dat?' Sam loopt naar Pip toe en samen buigen ze zich over de foto.
Ik staar naar het schilderij, met tranen in mijn ogen.
Sam rukt de foto uit Pips handen en draait hem om. 'Hè... Wie... Barbara van Amerongen? Maar dat is... dat is...'
Ze kijkt me met open mond en wijd opengesperde ogen aan.
'Beer! Hoe kom je hieraan? Dit is... dat is...'
'Ja. Onze moeder,' zeg ik.
'Maar... jij hebt... en je hebt hem ons niet laten zien?'
Ik loop naar de tafel toe. Naast een pot water ligt een stapeltje brieven. Oude brieven, zo te zien. Ik pak de bovenste op en lees het adres. *Walter van Zwanenburgh*, staat erop, geschreven in hetzelfde handschrift als achter op de foto's.
Ik kijk Pip aan. Hij veegt verlegen met zijn hand langs zijn neus.
'Is dit wat er in je rugzak zat?' vraag ik met schorre stem.
Sam schiet naar de tafel toe en pakt ook een brief. 'Wat zijn dit?

Aan Barbara van Amerongen. Walter van Zwanenburgh...
Brieven? Van papa en... en mama?'
Pip knikt. Sam maakt aanstalten om een brief uit de envelop te halen. Pip springt naar voren en rukt hem uit haar handen.
'Niet doen!' roept hij. 'Je blijft eraf!'
Sam kijkt hem verbijsterd aan. 'Waarom?'
'Ik... ik heb ze ook nog niet gelezen,' zegt Pip. 'Ze zijn niet voor ons bestemd.'
'Jij loopt al weken rond met die brieven en je hebt ze nog niet gelezen?' vraag ik ongelovig. Pip knikt, pakt het stapeltje en stopt het in zijn rugzak. Sam probeert hem tegen te houden.
'Nee!' roept Pip. 'Sam, je blijft eraf! Deze keer krijg je niet je zin!'
'Maar Pip, ze zijn... ze zijn van onze vader en moeder! Zo kunnen we misschien eindelijk te weten komen...'
'Nee,' zegt Pip en hij pakt met zijn beide handen haar bovenarmen stevig vast.
'Au! Laat los, je doet me pijn!' gilt Sam kwaad en ze worstelt om los te komen. Maar Pip is sterker.
'Als je belooft dat je eraf blijft. En anders gooi ik je de schuur uit. Beloof je het?'
Ik probeer Sam naar achteren te trekken. 'Sam, rustig nou! Laten we er eerst over praten.'
Maar ze is door het dolle heen. Ze begint te huilen en te stampvoeten. 'Maar snappen jullie dat nou niet? Ik moet die brieven lezen, Pip! Ik moet het weten. Alsjeblieft!'
'Sam,' zeg ik sussend. 'Sam, kalm nou even!'
Pip drukt de rugzak tegen zich aan.
'Waar heb je ze gevonden?' vraag ik.
'In de kelder.'
Sam houdt op met huilen. Met veel lawaai haalt ze haar neus op.
'Wat deed je daar?'
'Hetzelfde als jij. Oude kleren wegzetten. Isabel had me

geholpen bij het opruimen van mijn kamer. We hebben alle kleren die niet meer pasten uitgezocht en in vuilniszakken gestopt. En die heb ik naar de kelder gebracht.'

'En toen?'

'Toen ben ik een beetje gaan rondsnuffelen. Achter in de kelder stond een kist, tussen allemaal oude rotzooi...'

'Die heb ik helemaal niet gezien,' zegt Sam.

'Ik ook niet,' zeg ik.

'Ben jij dan ook al in de kelder geweest?' vraagt Pip.

Ik knik.

Sam draait zich naar mij. 'Heb je daar die foto gevonden?'

Ik knik weer.

'Waar dan?'

'Hij zat tussen die oude kinderboeken.'

'Echt waar?' Sams ogen worden groot. 'Als ik dat geweten had! Waarom vinden jullie toch altijd alles en ik niet?'

'Jij hebt Pip nu toch gevonden,' zeg ik.

Ik aarzel. Zal ik vertellen dat het er een heleboel zijn? Mijn hand sluit zich om een hartje in mijn broekzak. Ik voel me opeens licht in mijn hoofd. Mijn maag rammelt. Ik heb voor mijn doen bijna niks gegeten vandaag. Pip loopt terug naar zijn schilderij en houdt de foto ernaast. 'Wat is ze knap... en ze ziet er aardig uit. Ze was vast heel lief. En zo jong nog...'

'Volgens mij was ze ongeveer zevenentwintig toen ze ons kreeg. En toen ze dus...'

Ik maak mijn zin niet af.

We zijn alle drie stil. De wind giert om de schuur heen en het kale gloeilampje aan het plafond flikkert. Pip pakt het schilderij van de ezel en zet het op de grond.

'Ik ga opnieuw beginnen,' zegt hij.

'Nu toch niet hopelijk,' zegt Sam en ze kijkt naar zijn rugzak.

Ik haal het hartje uit mijn zak.

Ik haal diep adem. 'Ik heb nog meer foto's,' zeg ik dan. 'Het was er niet één, het waren er een heleboel.'

Even later zitten we met zijn drieën op mijn bed, de foto's om ons heen uitgespreid.
'Ooo, kijk hier eens!' roept Sam uit. 'En moet je deze zien! Hier was ze volgens mij zo oud als wij nu. Beer, ze lijkt op jou, kijk haar mond, precies de jouwe!'
Ik pak de foto uit haar hand. 'Nee, joh, ze lijkt hier meer op Pip, en ook op jou, Sam, kijk, ze heeft ook kuiltjes als ze lacht.'
'En deze dan,' zegt Pip. Hij houdt een trouwfoto omhoog. Mijn vader draagt een spijkerbroek en een ribfluwelen colbert, en hij heeft zijn arm trots om mijn moeder heen geslagen. Haar hoofd komt maar tot zijn schouder en ze kijkt stralend naar hem op. In haar handen heeft ze een grote bos wilde bloemen. Ze heeft een felgekleurd mini-jurkje aan en een haarband om haar hoofd, en laarzen met hoge hakken.
'Nou weet ik van wie jij die klerengekte geërfd hebt, Sam,' zeg ik giechelend. 'Zij hield ook wel van rare outfits. En ze is net zo'n ukkie als jij!'
Sam lacht, maar ze heeft ook tranen in haar ogen. We zwieberen alle drie de hele tijd tussen huilen en lachen in.
'En deze dan,' roept Pip, 'moet je dat lange haar van papa zien, hij was toen een echte hippie! En deze...'
Op dat moment gaat de deur open. Mijn vader staat in de deuropening, met zijn hemd uit zijn broek en een slaperig gezicht.

'Wat een lawaai maken jullie, wat zijn jullie...'
Zijn stem verstomt als hij ziet wat we aan het doen zijn. Met drie grote stappen is hij bij het bed, daarbij een stapel boeken omverlopend.
'Wat zijn dat...' Hij pakt een foto op. 'O, nee!'
Wij kijken alle drie angstig naar hem omhoog.
Mijn vader pakt een andere foto en nog een. Zijn gezicht vertrekt en hij zuigt zijn adem naar binnen. Zijn lippen worden een smalle streep en op zijn slaap begint een adertje te kloppen.
'Zijn jullie in de kelder geweest?' vraagt hij en hij kijkt Sam aan.
Ze krimpt in elkaar. 'Je hebt nooit gezegd dat dat niet mocht, hoor,' piepte ze benauwd.
'Ja, ik ken jullie, als ik dat zou zeggen, zouden jullie er meteen heen stormen.'
'Maar... we waren niet aan het snuffelen, hoor, ik was gewoon mijn spullen aan het opruimen en...'
Ik zie dat Sam bang is dat ze ontzettend op haar kop gaat krijgen. Pip kijkt zenuwachtig naar zijn rugzak, die bij papa's voeten ligt.
'En ik had niks meer te lezen,' zeg ik. 'Sam zei dat er dozen met oude kinderboeken lagen... die heb ik gepakt en...'
'Pap, niet boos zijn,' zegt Pip. Ik zie dat hij aarzelt en weer naar de rugzak kijkt.
Mijn vader volgt zijn blik. Pip buigt zich voorover en pakt zijn rugzak snel op. Ik zie dat zijn handen trillen.
'Pip... Nogmaals, wat verberg je in die rugzak?' vraagt mijn vader met barse stem.
Pip doet de rugzak open en haalt het stapeltje brieven eruit. Hij steekt ze mijn vader toe. Er biggelen tranen over zijn wangen.
'Ik heb ze niet gelezen, echt niet. En Sam en Beer ook niet, daar heb ik voor gezorgd.'
Ik hou mijn adem in.

Maar er komt geen explosie. Mijn vaders strakke schouders verslappen en de diepe frons tussen zijn wenkbrauwen verdwijnt.
'Jullie hoeven niet zo bang te kijken,' zegt hij met schorre stem en hij zucht diep. Hij kijkt naar de brieven en drukt ze tegen zijn borst. Dan kijkt hij besluiteloos naar de foto's.
Het is heel stil in de kamer, op het gieren van de wind na.
'Kom maar mee naar mijn kamer, daar is het lekker warm. Ik geloof dat het tijd wordt om jullie alles te vertellen.'

## HOOFDSTUK 32

Een paar minuten later zitten we met zijn drieën op de schapenvacht voor het vuur. De wind loeit in de schoorsteen en de vlammen knetteren. Papa heeft er nog een groot blok hout bij gelegd en zit nu in zijn oude leren stoel voor ons. Zijn handen liggen gevouwen in zijn schoot, op de brieven en het fotoboek.
'Ik weet niet goed waar ik moet beginnen...' zegt hij.
'Waar een verhaal altijd begint. Bij het begin,' zeg ik. 'Waar heb je onze moeder... uh, Barbara leren kennen?'
Mijn vader slikt en wrijft met zijn handen over zijn gezicht.
'Barbara was mijn grote liefde. Mijn jeugdliefde. We leerden elkaar kennen op de middelbare school. Toen ik in de vierde zat, kwam ze in derde. Ze verhuisde van Bergen aan Zee naar Amsterdam, met haar ouders en haar broer.'
'Werden jullie meteen verliefd op elkaar?' vraagt Pip.
Mijn vader strijkt over het kleine keurige handschrift op de bovenste envelop.
'Ik wel. De eerste keer toen ik haar zag, zei een stem in mij: *Jij bent het. Jij wordt mijn vrouw.*'
Sam zucht. 'Wat romantisch.'
'Ik was lang en mager,' gaat mijn vader verder. 'En ik vond mezelf heel lelijk. Ik kon me niet voorstellen dat zo'n mooi meisje... Ik schreef stiekem gedichten voor haar. Hele schriften vol. Die hebben jullie hopelijk niet gevonden, hè?'
Wij schudden alle drie ons hoofd.

'Dat is maar goed ook. Ze zijn vreselijk.'
Mijn vader staart over ons heen in het vuur, naar het verleden. Zijn ogen staan intens verdrietig.
'Ik was heel verlegen en onzeker en pas een half jaar later, op een schoolfeest, durfde ik haar aan te spreken. Ze was zo mooi. Alle jongens waren gek op haar, maar ze koos mij. Ze danste met mij...'
'Kon je goed dansen?' onderbreekt Pip hem.
'Ja... dat kon ik wel... dansen.'
'Met je lange haar,' zegt Sam giechelend. 'Je was een hippie! Nooit van jou gedacht, pap!'
'Stil nou, laat hem doorvertellen,' zeg ik.
'We dansten de hele avond, en toen mocht ik haar naar huis brengen. Ze woonde aan het Vondelpark, in een groot oud huis.'
'En toen?' vraagt Sam nieuwsgierig. Ze zit met haar armen om haar benen geslagen te wippen van de spanning.
Mijn handen zijn klam van de zenuwen. Ik kan het niet geloven. Eindelijk, eindelijk vertelt papa! O, ik moet iets zoets hebben, anders val ik flauw. Ik heb alleen nog maar een paar hartjes in mijn zak en die mag ik niet opeten, die zijn voor noodgevallen. En ik kan nu niet naar beneden gaan, naar de keuken, want dan verpest ik dit moment.
Mijn vaders gezicht krijgt een zachte uitdrukking. 'We zoenden, en er begon een nachtegaal te zingen. Dat was de enige keer in mijn leven dat ik dat gehoord heb. Het was zo mooi...'
Sam, Pip en ik zuchten op hetzelfde moment.
'We kregen verkering en we werden onafscheidelijk. Ik ging studeren, rechten, een jaar eerder dan Barbara. Zij ging naar de kunstacademie. De Rietveld.'
Pip gaat rechtop zitten. 'Kon ze goed tekenen?'
'Je moeder kon prachtig tekenen en schilderen,' zegt mijn vader en hij kijkt naar Pip.

'Dan heb ik het dus van haar.'
'Ja Pip, dat heb je zeker. En je moeders vader was ook een bekend schilder. Uit Bergen. Bergen was vroeger een kunstenaarsdorp.'
'Echt waar?' zegt Pip opgetogen. 'En dat heb je nooit verteld!'
Beschaamd schudt mijn vader zijn hoofd.
'Het spijt me... Ik kon het niet. Het doet... het deed te veel pijn. Ik moest het vergeten... ik moest haar uit mijn leven bannen om door te kunnen...'
Ik aai over zijn been. 'Het geeft niet, pap. Vertel maar verder.'
Mijn vader haalt diep adem. 'Barbara ging naar de kunstacademie en ik... ik deed van alles...'
'Je speelde piano... op het cruiseschip...' zeg ik.
'Ja... ik kon aardig spelen. Ik kom uit een muzikale familie. Die reis was onze huwelijksreis. We hadden geen geld, geen rooie cent, maar ik kreeg dat baantje... Barbara mocht voor niks mee. Het was de heerlijkste tijd van ons leven. Een huwelijksreis van bijna een jaar... We zijn overal geweest. Barbara schilderde. Op de tropische eilanden die we aandeden, en ze maakte ook portretten van rijke mensen op het schip... Daar verdienden we geld mee.'
'Waar zijn die schilderijen en die tekeningen nu, pap?' vraagt Pip opgewonden. 'Zijn ze er nog? Ik wil ze zien.'
'Ze zijn bij Barbara's moeder, jullie oma, in Zuid-Frankrijk.'
Mijn vader zucht. 'Er was één donkere wolk aan de hemel. Barbara wilde ontzettend graag een baby, maar het lukte niet om zwanger te worden. Elke keer weer die teleurstelling... Ze werd er treurig en wanhopig van. Toen we terugkwamen van onze reis zijn we naar het ziekenhuis gegaan en hebben we ons laten onderzoeken. Voor mij hoefde het niet, ik was gelukkig zo, maar Barbara wilde het. Ik deed het voor haar...'
Er verschuift een stuk hout in de open haard en de vonken vliegen rond. Buiten is de wind gaan liggen.

Mijn vader schraapt zijn keel en gaat verder. 'Nu komt het moeilijkste gedeelte om te vertellen... Ik weet het niet... Misschien is het beter...'
'Nee, vertel het nou maar, pap. We willen het echt weten. We zijn al groot, we kunnen er heus wel tegen.'
Mijn vader kijkt even naar mij en glimlacht zwakjes. 'Jullie zijn geweldige kinderen. Ik bof zo met jullie.'
'Vertel dan,' zegt Sam ongeduldig.
'In die tijd waren ze net begonnen met in-vitrofertilisatie.'
'Met wat?' vraagt Pip.
'Bevruchting buiten de baarmoeder,' zeg ik.
Pip trekt een vies gezicht.
'Mijn zaadcellen waren traag. Dat was het probleem. Wat ze dan doen, Pip, is een aantal eicellen van de vrouw nemen, en zaadcellen van de man, en die brengen ze bij elkaar.'
'Ieuw,' zegt Sam, 'komen wij uit een reageerbuisje?'
Mijn vader haalt zijn schouders op. 'Ja... nee... jullie komen uit jullie moeder... Maar in die tijd waren ze er nog niet zo heel goed in. Veel bevruchte eicellen haalden het niet, dus zetten ze er voor de zekerheid altijd meer dan één terug in de baarmoeder. Drie of vier, soms meer.'
'Aha,' zeg ik. 'Nou snap ik het, we hadden ook een zevenling kunnen zijn.'
Pip rolt met zijn ogen. 'Pfff, nog meer zussen! Heb ik mazzel!'
Ik geef hem een duw.
'In het begin lukte het niet. Barbara kon er niet meer tegen. Ze raakte totaal geobsedeerd. Ze kon nergens anders meer aan denken, nergens meer van genieten. Ik wilde er niet mee doorgaan... maar elke keer weer deed ik het toch, omdat ik mijn oude vrolijke Barbara terug wilde. Ze schilderde niet meer... Ze was heel somber... En toen lukte het toch... Ze was zo ongelooflijk blij!'
'En jij?' vraagt Pip.

'Ik... ik had gemengde gevoelens. Ik had de hele tijd het idee dat, als ze niet vanzelf zwanger werd, daar een reden voor was. Dat dat zo moest zijn...'
Mijn vader verbergt zijn gezicht in zijn handen. 'Mijn schuld... het was mijn schuld... Als ik...' Zijn schouders beginnen te schokken. Ik schrik er heel erg van. Ik heb hem nog nooit zien huilen. We kijken elkaar aan en staan op. Pip slaat zijn arm om mijn vaders hals heen en Sam en ik kloppen hem onhandig op zijn rug. Sam rent weg en komt terug met een glas water en een wc-rol.
'Hier pappie, drink maar even, en snuit je neus.'
'Wil je wat anders?' vraag ik. 'Zal ik een glas wijn voor je halen?'
Mijn vader knikt. Ik ren naar beneden en duik de voorraadkast in. Ik moet iets eten, nu meteen, anders val ik flauw. Ik gris een stroopwafel uit een pak en prop hem in mijn mond. Meteen begint mijn kies te steken. O nee, niet nu. Ik prop er toch nog een achteraan. Dan staar ik even voor me uit. Er is nog een klein kansje... Misschien, heel misschien gaat hij nu vertellen dat ze... dat ze nog leeft. Dat ze niet dood is... Ik doe een schietgebedje naar de blikken en de potten in de kast. 'Plies... Plies alsjeblieft,' zeg ik. Ik graaf een hartje uit mijn zak.

O nee. Ik prop nog een stroopwafel naar binnen, de pijn in mijn mond negerend. Dan ren ik naar de keuken, pak een glas en een open fles van het aanrecht en hol weer naar boven.

# HOOFDSTUK 33

Als ik terugkom, is Pip bezig de open haard op te stoken. Sam heeft de gordijnen dichtgedaan. Mijn vader pakt met een dankbare blik het glas en de fles aan.
We gaan alle drie weer zitten.
'Mama was eindelijk in verwachting van ons, en wat gebeurde er toen, pap?' vraagt Sam.
Mijn vader zucht en neemt een slok. 'Het ging allemaal goed, tot de twintigste week. Toen viel jullie moeder flauw in de tram. Ik heb haar meteen met een taxi naar het ziekenhuis gebracht. Het bleek dat ze zwangerschapssuikerziekte had.'
'Hè, ook al?' mompel ik verbaasd.
'Wat?' vragen Sam en Pip tegelijk.
'Nee... laat maar,' zeg ik snel. 'Ga door, pap.'
'Barbara moest insuline gaan spuiten, vier keer per dag, en op een zwaar dieet. Drie kinderen dragen was veel te zwaar voor haar lichaam.'
'Mocht ze wel weer naar huis of moest ze in het ziekenhuis blijven?' vraagt Pip.
'Ze mocht naar huis, maar ze moest twee keer per week op controle... En met achtentwintig weken ging het weer mis... Ze verloor bloed. Toen heeft ze een week in het ziekenhuis gelegen en daarna wilde ze per se weg. Ze had een enorme hekel aan ziekenhuizen. Jullie moeder was een enorme stijfkop.' Mijn

vader glimlacht bij de herinnering. 'Als ze iets in haar hoofd had, kreeg je het er met geen mogelijkheid meer uit. Ze was echt supereigenwijs.' Zijn glimlach verdwijnt en hij kijkt weer somber. 'Ik... ik had sterker moeten zijn...'
'Hoezo?' vraagt Pip zachtjes.
'Met dertig weken wilde de gynaecoloog jullie met een keizersnee halen, omdat het niet goed met haar ging. Maar ze wilde het absoluut niet, omdat de kans groot was dat jullie het niet zouden halen. Als jullie wel zouden blijven leven, zou er grote kans op een afwijking zijn. Jullie waren nog heel klein en jullie longetjes waren nog niet volgroeid.'
Mijn vaders gezicht is nu strak en bleek. Hij houdt het fotoboek zo stevig vast dat zijn knokkels er wit van zijn.
'Ik had haar moeten dwingen naar de dokter te luisteren... Maar dat heb ik niet gedaan.
Ze werd steeds zwakker, maar ze bleef weigeren om jullie te laten halen. "Elke dag is er één," zei ze steeds. Ze wilde jullie zo graag hebben, gezond en veilig in haar armen. Maar... maar ze heeft... Het ging...'
Mijn vader kan niet meer verder praten en neemt een grote slok wijn. Zijn hand trilt.
'Heeft... heeft ze ons nog gezien?' vraagt Sam met tranen in haar ogen.
Ik kijk naar mijn handen. Zonder dat ik het in de gaten had, heb ik zo hard aan een velletje naast de nagel van mijn middelvinger getrokken dat het bloedt. Het doet geen pijn. Ik heb het gevoel dat ik ergens boven mezelf zweef, of buiten, in mijn eentje tussen de hoge kale bomen. Een plotselinge windvlaag trekt aan het raam.
Mijn vader schudt zijn hoofd. 'Nee. Ze had weer een bloeding gekregen en toen raakte ze buiten bewustzijn. De dokters hebben gevochten voor haar leven. Ze is niet meer bij bewustzijn gekomen.'

Mijn vader staart naar de brieven in zijn schoot en pakt er een op. 'We hebben elkaar veel brieven geschreven. Ook toen ze in het ziekenhuis lag. We droomden over de toekomst, met ons vijven... En daarna...' Hij zucht diep en kijkt weer met een lege blik naar het vuur. 'Daarna was er niks meer...'
Sam staat op, gaat op papa's schoot zitten en legt haar wang tegen de zijne.
'Het was niet jouw schuld, pap. Ook niet onze schuld. Het was niemands schuld. Mama wilde gewoon het beste voor ons. Dat is toch normaal?'
Mijn vader knikt en wrijft in zijn ogen.
Ik voel me leeg. Ik kan niet eens huilen. Hol en leeg. Ze is dood. Dus toch. Diep in mijn hart wist ik dat eigenlijk wel. Maar het was zo fijn om te fantaseren dat ze nog leefde.
Ik sta op. Ik ben te groot en te dik om op papa's schoot te zitten, maar hij steekt zijn arm naar me uit. Ik ga op de leuning van de stoel zitten en sla mijn armen om zijn nek. Sam gaat aan de andere kant zitten.
'Maar jullie moeten weten dat ik verschrikkelijk blij met jullie ben, en ontzettend veel van jullie hou,' zegt papa.
'Dat weten we wel, pap,' zeg ik.
'Ik heb Barbara verloren, maar ik heb jullie ervoor teruggekregen. En... en ik ben blij dat ik het nu allemaal verteld heb. Geen geheimen meer.'
'Nee,' zeg ik. 'Geen geheimen meer. Nu kun je verder met je leven, pap. Nu is de prop echt helemaal weg, toch?'
Mijn vader knikt en glimlacht. 'Jullie zijn schatten,' zegt hij. 'En stuk voor stuk lijken jullie op je moeder, ieder op een andere manier. Alsof... alsof ze in drieën gedeeld is.'
Ik wrijf in mijn ogen. Eigenlijk zou je kunnen zeggen dat het hartje toen toch gelijk had. Mama is niet helemaal dood. Ze leeft nog. In ons.

Pip kruipt tegen papa's benen aan en zo zitten we alle vier een hele tijd in de vlammen te staren. Net zolang tot er alleen nog maar gloeiende kooltjes over zijn.

# HOOFDSTUK 34

Ik zucht diep en kijk Mo aan. Het schemert en we zitten in het park, diep weggedoken in onze jassen. In het licht van de lantaarnpalen vliegen vleermuizen. Mo houdt mijn hand vast.
'Dat was dus het verhaal van mijn moeder,' zeg ik. 'In het begin was mijn vader niet in staat voor ons te zorgen. De eerste twee jaar van ons leven hebben we bij onze oma en opa gewoond. Mijn vader was depressief. Hij deed niks meer. En toen veranderde het. Hij begon te schrijven. Hij vluchtte weg in zijn verhalen. Hij kreeg succes en werd beroemd.'
'Is je vader beroemd? Ik wist helemaal niet dat hij schrijver was.'
Ik druk mijn vrije hand tegen mijn wang. Mijn kies doet zeer. Maar op de een of andere manier is dat goed nu. Het zorgt ervoor dat ik die andere pijn niet zo erg voel.
'Hij heet Walter van Zwanenburgh.'
'Echt? Is dat je vader?' Mo kijkt me ongelovig aan.
Ik knik.
'Kun je nagaan, ik lees nooit een boek, maar zelfs ík ken zijn naam!'
Ik grijns.
'En hoe ging het verder?' vraag Mo.
'Toen wij vier waren had mijn vader al best veel geld verdiend en kocht hij het huis waar we nu in wonen.'
'Is het groot?' vraagt Mo nieuwsgierig.

Ik knik. 'Heel groot, het is een grote oude rammelkast, waar alles piept en kraakt en niks het goed doet. Ons zwembad lijkt wel erwtensoep, en de tuin is een wildernis, maar ik zou nergens anders willen wonen. Het is ons thuis.'
'Heeft je vader jullie alleen opgevoed?'
'Nee, we hebben een heleboel personeel gehad. Au pairs, tuinmannen, werksters. Op de een of andere manier ging dat altijd mis. Die au pairs waren stuk voor stuk op mijn vader en zijn geld uit. Vanaf dat we tien waren, hebben we voor onszelf gezorgd. En voor hem. Op een gegeven moment, ik weet niet meer precies wanneer het begon, hield mijn vader op met schrijven. Het ging niet meer. Hij had een writer's block, zo heet dat. Hij kwam minder en minder van zijn kamer af, hij had heel vaak hoofdpijn, deed niks meer in huis... Hij kwam nauwelijks meer buiten... Sam deed heel veel. Zij nam de rol van moeder over.'
'En jij, moest je ook veel doen?'
Ik schud beschaamd mijn hoofd. 'Ik verstopte me in mijn boeken en elke keer als ik me rot en alleen voelde stopte ik me vol met eten. Dat hielp telkens even tegen het lege gevoel... Mijn vetlaag is... was misschien ook wel een soort schild tegen de buitenwereld. Bijna iedereen is alleen in ons geïnteresseerd omdat we rijk zijn en omdat papa beroemd is. Vroeg of laat merkte ik altijd dat het niet om mij ging.'
'Bij mij gaat het wel om jou, Zwaan,' zegt Mo en hij kijkt me aan. 'Echt waar.'
Ik knipper verlegen met mijn ogen en wend mijn blik af.
Ik ga opeens rechtop zitten en kijk hem verbaasd aan. 'Hé Mo, je hebt nog niet één keer gestotterd!'
Mo grijnst verlegen. 'N-nou je het zegt. K-kijk, d-daar ga ik meteen w-weer. Als ik op mijn g-gemak ben, en niet aan mezelf denk... v-vergeet ik het gewoon. M-maf, hè?'

Ik grinnik. 'Een groot compliment juist.'
'Ja... het is ook een c-compliment. Bij jou kan ik mezelf zijn, Zwaan. En dat is fijn.' Mo trekt me tegen zich aan. Mijn hart begint sneller te bonzen. Dan moet ik opeens niezen. 'Hatsjoe, hatsjoe!' Ik ga weer rechtop zitten en veeg mijn neus af.
'Ben je verkouden aan het worden?' vraagt Mo bezorgd.
'Nee...'
Durf ik het te zeggen, of staat dat heel stom? Knapt hij dan op me af, of niet?
Ik heb een hartje nodig, maar dan moet ik mijn jas openmaken.
'Het is je aftershave,' zeg ik. 'Daar moet ik van niezen. Hij... hij is een beetje sterk.'
Mo krijgt ook een kleur. 'I-ik heb die speciaal voor jou op gedaan... I-ik dacht dat meisjes dat lekker vonden.'
Ik giechel verlegen en weet niet hoe ik kijken moet. Jeetje, ik heb het zonder hartje gedaan. Wat knap van mij!
'Ik zal het niet meer op doen, goed?'
Ik knik.
'En hoe ging het toen verder bij jullie thuis?'
'Vind je dit niet saai?' vraag ik. 'Ik ben de hele tijd aan het praten.'
Mo strijkt over mijn koude hand. De zijne zijn heel warm.
'Ik zei je toch dat ik van verhalen hield. Dit is zo'n mooi en zielig verhaal. Veel spannender dan mijn leven. Het lijkt wel een boek. Jullie moeder die haar leven voor jullie heeft opgeofferd... een drieling... je beroemde vader... dat grote huis.'
Ik denk even na. Mo's strelende hand zorgt ervoor dat ik me niet goed kan concentreren. 'Nou... waar was ik? Ik liet Sam dus aardig stikken. Dat was niet goed van mij. En Pip... mijn broer is anders dan anderen, altijd geweest. Hij... hij is heel gevoelig, hij huilt snel en hij raakt gauw overstuur. Hij kan niet goed meekomen op school. Hij wordt ook gepest. Zo gemeen. Maar hij

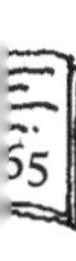

kan ontzettend goed tekenen en schilderen. Echt niet normaal voor iemand van zijn leeftijd. Dat heeft hij dus van onze moeder... die kon het ook goed en haar vader ook... En toen kreeg mijn vader deze zomer een ongeluk en kwamen we Isabel tegen.'
'Isabel?'
'Ja, zij is een heel bijzonder iemand. Ze is vuilnisvrouw en dichter tegelijk. Papa bleek een tumor in zijn hoofd te hebben, maar dat wisten we dus niet. Hij viel flauw tegen de vuilniswagen aan die Isabel bestuurde. Toen moest hij naar het ziekenhuis en daar kwamen ze er dus achter dat hij een prop in zijn kop had... Een tumor. Kun je het nog een beetje volgen?'
Mo knikt. 'Ja, hoor.'
'Het was net op tijd... Als hij dat ongeluk niet had gehad was hij er misschien wel aan doodgegaan. Toen heeft hij een hele tijd in het ziekenhuis gelegen, wel vier weken. Isabel hielp ons intussen. Ons huis was toen echt een puinhoop, joh! Nu is het een stuk opgeruimder en gezelliger. En toen hij thuiskwam, hebben wij een groot feest gegeven voor hem en Isabel.'
'En ze zijn verliefd op elkaar geworden en je vader ging weer schrijven en ze leefden nog lang en gelukkig,' zegt Mo lachend. 'Is het zo gegaan?'
'Nee...' zeg ik met een spijtig gezicht. 'Volgens mij is Isabel wel verliefd op papa, maar wil hij niet... Maar hij vindt haar wel heel leuk. Ze is ook heel knap, een stuk jonger dan papa. Ik weet het niet. Misschien durft hij niet meer, na alle toestanden die we meegemaakt hebben...' Ik kijk Mo aan. 'Maar wie weet verandert het nu. Sinds ons gesprek is papa veel opgewekter. Alsof er een last van zijn schouders is gevallen. Hij heeft zelfs zomaar uit zichzelf een paar keer dingen verteld, van vroeger. Leuke dingen over onze moeder. Het is geen geheim meer. En hij gaat vanavond met Isabel uit eten. Dus wie weet...'

We kijken allebei naar de vleermuizen, die duikvluchten maken in het licht van de lantaarnpaal. Mo knijpt in mijn hand.
'Ik vond het heel fijn dat je me opbelde, Zwaan. Ik was al bij oom Ranja geweest, om te vragen waar je woont.'
'Dat is dapper van je! En? Heeft hij het verteld?'
'Nee, hij wilde het niet zeggen. Maar ik heb wel mijn excuses aangeboden. En... en ik heb alles verteld.'
'Wauw, goed zeg! En?'
'Dat vond hij fijn. Hij was wel heel aardig tegen me. Hij gaf me een zak hartjes toen ik wegging, voor jou.'
Mo haalt een plastic zakje uit zijn jas.
Ik lach. 'Ha! Wat een grapjas! Hartjes!'
'Hoe... hoezo?'
Ik friemel verlegen aan mijn haar. 'Ik... ik heb een gekke gewoonte... en oom Ranja weet daarvan.'
'Wat dan?'
'Nou... Als ik ergens over twijfel, vraag ik aan de hartjes wat ik moet doen.'
Mo lacht. Maar hij lacht me niet uit. 'Hè? Hoe doe je dat dan?'
Ik pak het zakje en maak het open. 'Stel eens een vraag. Vraag iets wat je graag wilt weten.'
'Uuhm...' Mo krijgt weer een rood hoofd. 'Moet het een ja- of- nee-vraag zijn?'
'Nee, maakt niet uit.'
'Uh... Vindt Zwaan mij aardig?'
Ik giechel ook. 'Pak er maar een.' Ik hou hem het zakje voor.
Mo pakt er een uit en houdt het in het lamplicht.
'Wat staat er?' vraag ik nieuwsgierig.

'Het klopt,' zeg ik met een brede grijns. 'Ik vind jou een schat. Nou ik.'
Mo's donkere ogen glanzen. 'Wat is jouw vraag dan?'
Ik pak een hartje. Dan bedenk ik me.
Ik kijk Mo aan. 'Weet je, ik geloof dat ik ze niet meer nodig heb. Het is maar een spelletje. Ik vraag het gewoon aan jou. Wat vind jij van mij?'
Mo kijkt me verlegen aan en strijkt over mijn haar, en dan over mijn wang. 'Ik vind je heel lief.'
We slaan onze armen om elkaar heen. Het lege holle gevoel vanbinnen is verdwenen. Ik heb geen honger meer. Ik doe mijn hand waarin het hartje zit open.

Ik giechel.
'Mond open, snoes,' zeg ik en ik stop het in zijn mond.
'Jij ook, schat,' zegt Mo.
We zuigen allebei op ons snoepje, onze gezichten dicht tegen elkaar aan. Mo pakt mijn handen weer vast.
'Au!' roep ik opeens en ik druk mijn hand tegen mijn wang.
'Wat is er?' vraagt Mo bezorgd.
'Mijn kies doet zeer.'
'Wat heb je dan?'
'Achterstallig onderhoud,' zeg ik. 'Er is een stuk afgebroken, een poos geleden.'
'Waarom ga je dan niet naar de tandarts?'
'Durf ik niet.'

Mo barst in lachen uit.
'Jij durft toch alles!'
'Ja,' zeg ik. 'Met een kilo rumbonen op wel.'
'Ben je bang voor de tandarts?'
Ik knik. 'Ik ben zes jaar niet geweest of zo. En ik heb me te pletter gesnoept. Ik moet vast een kunstgebit.'
'Helemaal niet,' zegt Mo. 'Tuurlijk niet. Waarom ga je niet naar mijn pa? Hij is heel goed, hoor.'
'Niet voor jou anders,' zeg ik.
Mo kijkt de andere kant op. 'Kan ook aan mij liggen, hoor. Ik ben niet zo gemakkelijk.'
Hij staat op en trekt me overeind. 'Kom op, we gaan gewoon nu. Dan ben je ervanaf. Ik ga met je mee en ik zal je handje vasthouden, goed?'
'Maar... het is al over zessen,' protesteer ik. 'Je vader werkt dan toch niet meer?'
'Jawel, hoor,' zegt Mo. 'Hij werkt altijd tot laat.'
'En... Maar ik moet naar huis, eten...'
'Niet waar, snoes, dat is een smoes.'
Ik sta nu vlak bij Mo. We zijn ongeveer even groot. De lucht achter zijn hoofd is heel donkerblauw, met hier en daar een witte wolk. Er zijn al een paar sterren.
We kijken elkaar aan. Opeens begint er een vogel te zingen. Helaas weet ik het verschil niet tussen een merel en een nachtegaal. Of een mus.
Maar het is heel mooi. En dan zoenen we.

# Over Francine Oomen

Francine Oomen is geboren op 27 maart 1960 in Laren (N-H), als oudste van vijf kinderen.
De creativiteit zat er al van jongs af aan in, evenals haar liefde voor boeken. Na de middelbare school en de Design Academy in Eindhoven, vestigde ze zich als zelfstandig industrieel ontwerper.
Haar eerste stappen in het boekenvak deed ze als ontwerper van nieuwe soorten baby- en kleuterboeken. Later ging ze boeken voor steeds oudere kinderen schrijven, die ze meestal ook zelf illustreerde. De *Saartje en Tommie*-serie was haar eerste internationale succes.
De avonturen van de twee kleuters verschenen in de *Bobo*, op televisie en in boekvorm.
Het eerste prentenboek geheel van Francines hand was *Sammie Eigenwijs*, dat in 1995 verscheen en in vijf landen gepubliceerd werd.
In 1997 verscheen het eerste deel van Francines eerste jeugdboekenserie *De computerheks*. Haar grote doorbraak kwam met de *Hoe overleef ik...*- en de *Lena Lijstje*-serie.
In 2003 schreef ze het Kinderboekenweekgeschenk: *Het Zwanenmeer (maar dan anders)*.
Francines boeken werden vele malen bekroond en er is nu een film en een televisieserie in de maak.

Kijk voor meer informatie op: www.francineoomen.nl.

## Over *Het Zwanenmeer*
*(maar dan anders)*

Ik heet Sam en ik ben een derde van een drieling.
Mijn zus heet Beer. Ze verstopt zich achter boeken, vetribbels en tienen. Maar onder die ondoordringbare buitenkant is ze heel lief.
Mijn broer heet Pip. Hij is een kop groter dan ik en anders dan anderen. Daarom wordt hij gepest op school. Hij kan ongelooflijk goed tekenen en schilderen.
Onze vader is een beroemde schrijver, maar helaas heeft hij een writer's block. Dat is een enge ziekte die alleen bij schrijvers voorkomt.
We wonen in een grote oude villa, aan de rand van het bos. Het is hier nogal een puinhoop en het water in ons zwembad lijkt wel erwtensoep.
Ik zorg voor alles en iedereen. Het lukt me niet zo goed, maar ik doe mijn best. Dat moet ook wel, want we hebben geen moeder.

Dit is het eerste deel over Sam, Beer en Pip.
*Elk boek is ook apart te lezen.*

# Bij van Holkema & Warendorf verschenen:

**De *Hoe overleef ik...*-serie**

Hoe overleef ik mijn vakantie? *(1998)*
Hoe overleef ik het jaar 2000? *(1999)*
Hoe overleef ik de brugklas? *(2000)*
Hoe overleef ik mijn eerste zoen? *(2001) (Genomineerd voor de Kinderjury 2002)*
Hoe overleef ik mezelf? *(2002) (Bekroond door de Kinderjury 2003, Hotze de Roosprijs 2004, bekroond door de Jonge Jury 2004)*
Hoe overleef ik een gebroken hart? *(2003) (Bekroond door de Kinderjury 2004, Hotze de Roosprijs 2004, bekroond door de Jonge Jury 2004)*
Hoe overleef ik met/zonder jou? *(2004) (Genomineerd voor de Jonge Jury 2005 en de Tina-Bruna-award 2005)*
Hoe overleef ik mijn ouders? (en zij mij!) *(augustus 2005)*

**Survivalgidsjes**

Hoe overleef ik mijn vakantie in Duitsland? *(2004)*
Hoe overleef ik mijn vakantie in Frankrijk? *(2004)*
Hoe overleef ik mijn vakantie in Italië? *(2004)*
Hoe overleef ik mijn vakantie in Spanje? *(2004)*
Hoe overleef ik mijn vakantie in Engeland? *(mei 2005)*
Hoe overleef ik mijn vakantie in Turkije? *(mei 2005)*
Hoe overleef ik van alles (en nog wat)? *(mei 2005)*
Hoe overleef ik zonder antwoorden? *(mei 2005)*

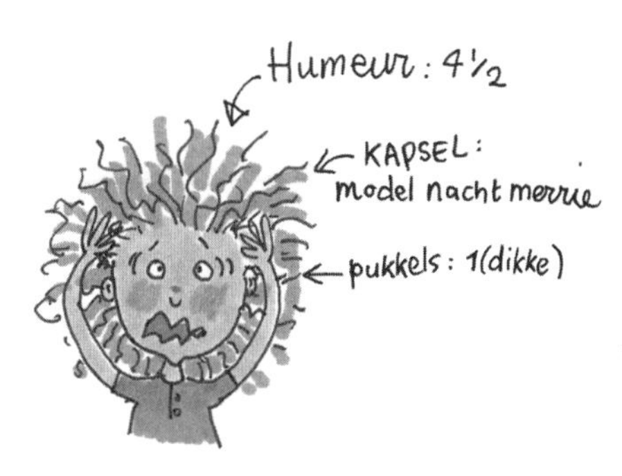


**Ezzie's Dagboek** *(2004)*

Dit is het dagboek van Rosa's vriendin, Esther.
Welkom in Ezzie's knotsgekke, compleet gestoorde wereld!
Lees hoe ze op zoek is naar haar vader, naar liefde, naar echte vriendschap, naar de leukste kleren, de lekkerste snoep en vooral naar zichzelf!

Je kunt *Ezzie's Dagboek* ook op www.francineoomen.nl lezen!

**Lena Lijstje**

*Kiezen is moeilijk, maar lijstjes maken helpt!*

Lena Lijstje *(2002)*
(*Kinderboekwinkelprijs 2002*)
Het geheim van Lena Lijstje *(2003)*
De reis van Lena Lijstje *(2004)*

**De computerheks** *(7–12 jaar)*

Ursula is een moderne heks, niet zo'n ouderwets tiepetje dat op een stoffige bezem rondvliegt. Ze beleeft fantastische en spannende avonturen, met medewerking van haar leerlingen Lot (slimme meid, 11) en Trix (Oost-Indisch dove bejaarde, 75+) en met tegenwerking van Karel (zoon van Trix, niet bepaald snugger, 30).

De computerheks *(1996)*
Computerheks in gevaar *(1997)*
Lang leve de computerheks! *(1999)*
Computerheks in de sneeuw *(2000)*
De computerheks ziet ze vliegen *(omnibus) (2003)*
De computerheks tovert erop los *(omnibus) (2004)*